Sección de Obras de Lengua y Estudios Literarios

LA VANGUARDIA PEREGRINA

RAFAEL ROJAS

La vanguardia
peregrina

EL ESCRITOR CUBANO,
LA TRADICIÓN Y EL EXILIO

FONDO DE CULTURA ECONÓMICA

Primera edición, 2013

Rojas, Rafael
    La vanguardia peregrina. El escritor cubano, la tradición y el exilio / Rafael Rojas. —
México : FCE, 2013
    228 p. ; 21 × 14 cm — (Sección de Obras de Lengua y Estudios Literarios)
    ISBN 978-607-16-1475-9

    1. Escritores — Cuba — Exilio 2. Literatura cubana — Exilio — Ensayos 3. Literatura
cubana — Crítica e interpretación — Siglo XX I. Ser. II. t.

LC F1787   Dewey Cu801.95 R643v

Distribución mundial

Diseño de portada: Paola Álvarez Baldit

D. R. © 2013, Fondo de Cultura Económica
Carretera Picacho-Ajusco, 227; 14738 México, D. F.
Empresa certificada ISO 9001:2008

Comentarios: editorial@fondodeculturaeconomica.com
www.fondodeculturaeconomica.com
Tel. (55) 5227-4672; fax (55) 5227-4694

ISBN 978-607-16-1475-9

Impreso en México • *Printed in Mexico*

Sumario

Introducción

Éste es un libro sobre escritores cubanos vanguardistas y exiliados. A simple vista, Cuba, vanguardia y exilio parecieran nociones inasimilables. Cuba, país donde se produjo una revolución que revitalizó la tradición de las izquierdas socialistas y nacionalistas en América Latina durante la segunda mitad del siglo xx. Vanguardia, concepto que capitalizó los sentidos más renovadores del arte, la literatura y la política desde la primera mitad de aquella centuria. Exilio, experiencia de fractura de una comunidad, asociada a la imposición de regímenes autoritarios y totalitarios que fueron legitimados desde cualquier dispositivo simbólico o jurídico.

La historia cultural tiende a limitar las vanguardias artísticas y literarias cubanas al espacio de la isla y al momento inicial de la Revolución. Los años sesenta del siglo pasado, específicamente, no sólo constituyeron el periodo emblemático de la transformación social emprendida por la Revolución y la fase más dinámica de la ideología y la cultura producidas por la misma, sino una década de reactivación del vanguardismo en el arte, la literatura y el pensamiento occidentales. La conjunción de esos fenómenos ha producido una identidad bastante rígida entre las vanguardias cubanas y el proceso revolucionario.

Dicha identificación tiene, desde luego, razón de ser. Cuando la Revolución triunfó, en 1959, el arte, la literatura, el teatro, la música, la danza e, incluso, el cine cubanos, vivían un periodo de notable efervescencia. Poco antes de la entrada de Fidel Castro en la capital, circulaban revistas como *Orígenes*, *Ciclón* o *Nuestro Tiempo*, se leían *Los pasos perdidos* (1953) y

El acoso (1958) de Alejo Carpentier, *La expresión americana* (1957) y *Tratados en La Habana* (1958) de José Lezama Lima; los abstraccionistas cubanos (Loló Soldevilla, Sandú Darié, José Mijares, Pedro de Oraá, Luis Martínez Pedro) y el grupo Los Once (Guido Llinás, Tomás Oliva, Hugo Consuegra, Fayad Jamís…) cuestionaban la figuración pictórica, y Harold Gramatges, Aurelio de la Vega y Juan Blanco experimentaban con la música posimpresionista o dodecafónica.

El primer gobierno revolucionario así como el segundo, compuestos mayoritariamente por políticos jóvenes, alentaron una ruptura con la tradición intelectual republicana y, a la vez, una continuidad de los proyectos culturales vanguardistas que desde los años veinte y treinta se desarrollaban en la isla, con o sin respaldo del Estado. Las publicaciones e iniciativas de la Dirección de Cultura del Ministerio de Educación, entre 1959 y 1961, y sobre todo el suplemento literario *Lunes de Revolución,* dirigido por Guillermo Cabrera Infante y editado por el periódico *Revolución,* que encabezaba Carlos Franqui, serían muestras de aquella dialéctica entre tradición y vanguardia.

El cambio revolucionario produjo, naturalmente, una estigmatización de figuras emblemáticas del campo intelectual del antiguo régimen. Pero aun en una publicación tan claramente vanguardista e izquierdista, como *Lunes de Revolución,* la idea de que a partir de 1959 se iniciaba una reintegración del espacio literario, en el que cupieran todas las corrientes estéticas, logró plasmarse con claridad. En *Lunes* publicaron poetas y narradores de la católica revista *Orígenes* como José Lezama Lima, Cintio Vitier y Lorenzo García Vega —aunque también fueron criticados—, escritores canónicos de las décadas de 1940 y 1950, como Enrique Labrador Ruiz, Lydia Cabrera o Eugenio Florit, marxistas de diversos tipos como Juan Marinello, Mirta Aguirre y Raúl Roa, y, por supuesto, jóvenes socialistas radicales como José Álvarez Baragaño, Edmundo Desnoes y Heberto Padilla.[1]

[1] William Luis, *Lunes de Revolución. Literatura y cultura en los primeros años de la Revolución cubana,* Verbum, Madrid, 2003, pp. 197-219. En su novela póstuma, *Cuerpos divinos* (Círculo de Lectores, Barcelona, 2010, pp. 489-491),

No es raro que *Lunes de Revolución* haya sido la única publicación de la isla donde coincidió aquel puñado de jóvenes vanguardistas cubanos, antes de sus respectivos exilios. En las lecturas habaneras del joven José Kozer, en la visión de Julieta Campos sobre la literatura posrevolucionaria mexicana, en las traducciones que Calvert Casey hizo de Tristan Tzara, Hermann Broch, Henry Miller o Arthur Koestler, en la de Nathalie Sarraute o en los poemas que allí publicó Nivaria Tejera, en las críticas de Severo Sarduy sobre pintores cubanos como Víctor Manuel o José Mijares, en las preguntas de Lorenzo García Vega sobre el primer Congreso de Escritores y Artistas y en los cuestionamientos del canon literario nacionalista de Antón Arrufat encontramos apenas un atisbo de la fugaz convivencia de aquellos escritores en el campo intelectual de la isla.[2]

Antes que en *Lunes* mismo, la vertebración de esa última vanguardia literaria cubana podría ubicarse a mediados de la década de 1950, en los años de la disidencia de *Orígenes* y el nacimiento de *Ciclón*. En la correspondencia de Virgilio Piñera, cruzada entre La Habana y Buenos Aires, vemos dibujarse los perfiles de Calvert Casey, Severo Sarduy, Antón Arrufat, Nivaria Tejera y otros escritores de aquella generación.[3] Perfiles que muy pronto configurarán siluetas de la literatura cubana de vanguardia, inscritas en la que podríamos llamar "prole" o, más bien, "escuela" de Piñera, siguiendo el sentido que Harold Bloom ha dado a su propio de concepto de *dialéctica de la tradición*, a partir de la estela de Wallace Stevens en la poesía estadunidense contemporánea.[4]

Guillermo Cabrera Infante hace una buena reconstrucción del proyecto editorial de ese suplemento literario. Para una valoración reciente de la obra de Cabrera Infante en la isla, véase Elizabeth Mirabal y Carlos Velazco, *Sobre los pasos del cronista: el quehacer intelectual de Guillermo Cabrera Infante en Cuba hasta 1965,* Unión, La Habana, 2011.

[2] *Ibid.,* pp. 72-74, 68-79, 129, 132, 84, 92, 89, 90, 123.

[3] Virgilio Piñera, *Virgilio Piñera, de vuelta y vuelta. Correspondencia. 1932-1978,* Unión, La Habana, 2011, p. 156.

[4] Harold Bloom, *La escuela de Wallace Stevens. Un perfil de la poesía estadunidense contemporánea,* Vaso Roto, Madrid, 2011, pp. 12-17.

No todos los escritores aquí comentados encuentran cobijo en esa escuela. Lorenzo García Vega, como recuerda Jorge Luis Arcos, se encargó de diferenciar su disidencia de *Orígenes* de la de Virgilio Piñera, y en Julieta Campos o en José Kozer no hay mayores conexiones con la poética del autor de *La isla en peso* y *La carne de René*.[5] Comparten, sin embargo, todos estos escritores un diálogo libérrimo con la tradición nacional, desde una plataforma estética cosmopolita y vanguardista, que aun en los casos más cercanos al centro del canon, como la relación del mismo García Vega con Lezama, Campos con Sarduy o Kozer con Martí, exhibe una admirable distancia de las visiones hegemónicas del nacionalismo cubano.

Vanguardia y exilio

Como toda revolución, la cubana desató un cuantioso exilio intelectual que, desde el punto de vista ideológico, era en sus inicios más liberal y nacionalista que anticomunista. La acelerada ubicación de Cuba en el centro del conflicto Este-Oeste de la Guerra Fría hizo girar mayoritariamente a ese exilio hacia el anticomunismo, que marcaba la política exterior de los Estados Unidos. Importantes escritores de la República (1902-1958), como Gastón Baquero, Lino Novás Calvo y Jorge Mañach, que aun en los momentos de mayor obsesión macarthista nunca defendieron la represión o el silenciamiento de la importante corriente intelectual comunista prerrevolucionaria, llegaron a adoptar, en el exilio, posiciones anticomunistas.[6]

Ya en la primavera de 1961, cuando en los días previos y posteriores a la invasión de Bahía de Cochinos los líderes de la

---

[5] Jorge Luis Arcos, *Kaleidoscopio. La poética de Lorenzo García Vega*, Colibrí, Madrid, 2012, pp. 46-60.

[6] Para un comentario sobre las posiciones anticomunistas de Baquero, Novás Calvo y Mañach en el exilio, véase mi libro *Tumbas sin sosiego. Revolución, disidencia y exilio del intelectual cubano*, Anagrama, Barcelona, 2006, pp. 193-195.

Revolución asumían abiertamente su orientación marxista-leninista, el exilio intelectual cubano se definía desde el anticomunismo. Esta definición provocó un secuestro de las poéticas literarias vanguardistas, que no faltaron en ese exilio, por la ideología de uno de los polos de la Guerra Fría. En la isla, aunque el vanguardismo resistió aún más —tal vez hasta fines de los sesenta—, también se produjo un secuestro similar, pero desde la ideología contraria. A partir de entonces se afianzó la imagen de una cultura exiliada cubana tradicional, anticomunista y de derecha.

El exilio cubano —como la propia cultura insular— no fue nunca homogéneo. Muchos de sus primeros integrantes eran nacionalistas revolucionarios, que rechazaban el giro comunista que daban los máximos líderes, o socialistas antiestalinistas y antisoviéticos que se oponían al pacto con Moscú. El cierre de *Lunes de Revolución* en 1961, una publicación que desde su tercer número, del 6 de abril de 1959, había dejado en claro la defensa de un socialismo libertario, no estalinista, cuyos referentes doctrinales, además de Marx y Engels, incluían a Thomas Paine, Saint-Just, Piotr Kropotkin, León Trotski y Jean-Paul Sartre, fue, en buena medida, el punto de partida de un exilio de vanguardia y de izquierda que en una o dos décadas aportaría algunos nombres fundamentales de la literatura y la política cubanas fuera de la isla.[7]

Siempre que se piensa en ese exilio intelectual cubano de la década de 1960 vienen a la mente sus dos figuras públicas más conocidas: Guillermo Cabrera Infante y Carlos Franqui. Sin embargo, desde 1959 y 1960, comenzaron a emigrar escritores más jóvenes, sin el reconocimiento de éstos, como Severo Sarduy, José Kozer y Julieta Campos, que para fines de esa década o principios de la siguiente habrán desarrollado poéticas vanguardistas en París, la Ciudad de México y Nueva York. Estas emigraciones no pueden asociarse, inicialmente, a situaciones de exilio o deserción, como las de Lorenzo García Vega, Nivaria

---

[7] William Luis, *op. cit.*, pp. 57-58.

Tejera.o Calvert Casey, quienes se distanciaron públicamente del gobierno cubano a mediados de la década de 1960, pero ya hacia 1968 todos esos escritores responden a una identidad exiliada.

El año de 1968 sería, pues, clave para identificar a un grupo de escritores cubanos exiliados, de vanguardia, que comparte no pocas ideas de las izquierdas occidentales de la época y, a la vez, se opone al sistema político construido por la Revolución cubana. No se pensaban aquellos escritores como contrarrevolucionarios —más bien seguían considerándose revolucionarios— ni como anticomunistas —casi todos compartían algunas ideas de la tradición marxista y socialista—, pero sí desechaban la herencia estalinista, el modelo soviético y la aproximación del gobierno de Fidel Castro a este último.

El 68 en Cuba y Cuba en el 68 son temas paralelos que habría que desarrollar en algún libro. Como hemos comentado en otro lugar, en La Habana de fines de aquella década son detectables algunas resonancias de la nueva izquierda libertaria, que se movilizó en varias capitales europeas y americanas.[8] El Salón de Mayo de 1967, el Congreso Cultural de La Habana de 1968 y la revista *Pensamiento Crítico* serían sólo tres entre muchas señales de la recepción cuidadosa que algunos sectores de las élites intelectuales y políticas de la isla hicieron de aquel movimiento. Pero a pesar de la fuerza simbólica de la Revolución cubana, en tanto hito de la lucha antimperialista y de la descolonización del Tercer Mundo, la ideología oficial cubana, reorientada en favor del modelo soviético desde el respaldo a la invasión de Moscú a Praga, dio la espalda a la nueva izquierda.

Desde el otro ángulo, el de Cuba en el 68, también predominó el desencuentro. A partir de ese año, precisamente, el gobierno de Fidel Castro empieza a perder defensores dentro de la izquierda occidental, y el socialismo cubano comienza a dis-

[8] Rafael Rojas, *El estante vacío,* Anagrama, Barcelona, 2009, pp. 72-73; Rafael Rojas, "Anatomía del entusiasmo. Cultura y Revolución en Cuba", en Carlos Altamirano, *Historia de los intelectuales latinoamericanos en América Latina,* II, Katz Editores, Buenos Aires, 2010, pp. 45-61.

minuir su poder referencial sobre los intelectuales y políticos del neomarxismo occidental. En los estudios ya clásicos de Edgar Morin, Claude Lefort o Michel de Certeau, en los más recientes —y críticos de estos últimos— de Kristin Ross y Jacques Baynac o en rememoraciones como las de André Glucksmann o Carlos Fuentes, se observa la escasa gravitación del gobierno de Fidel Castro sobre aquella renovación de la izquierda. El *Che* Guevara por sí solo o la Revolución Cultural maoísta fueron más importantes para el 68 que el socialismo cubano, cuya inscripción en la órbita soviética era rechazada lo mismo por Sartre que por Aron, por Foucault que por Badiou.[9]

En esa fisura entre el socialismo insular y la nueva izquierda es donde podría localizarse la condición de posibilidad de las vanguardias cubanas exiliadas. En la obra de Lorenzo García Vega y Julieta Campos, en la de José Kozer y Nivaria Tejera, en la de Calvert Casey y Severo Sarduy encontramos los más variados indicios del imaginario filosófico y estético de las vanguardias de las décadas de 1960 y 1970. El cine del neorrealismo italiano y el *nouveau roman* francés, la *beat generation* y el *pop art* neoyorquino, los últimos ecos de surrealismo, el existencialismo y las teorizaciones estructuralistas, Freud y Lacan, pero también Marcuse y Barthes, la contracultura y el budismo, el *boom* de la novela latinoamericana y el neobarroco, Octavio Paz y Julio Cortázar.

Este repertorio intelectual, que poco o nada tiene que ver con las derechas anticomunistas de la Guerra Fría, fue el trasfondo de las poéticas de aquellos exiliados. Las ciudades de sus exilios (Roma, París, Madrid, Nueva York y la Ciudad de Méxi-

---

[9] Michel de Certeau, *La toma de la palabra,* Universidad Iberoamericana, México, 1995, pp. 28-29; Kristin Ross, *Mayo del 68 y sus vidas posteriores. Ensayo contra la despolitización de la memoria,* Acuarela Libros / A. Machado Libros, Madrid, 2008, pp. 55-93; Jacques Baynac, *Mayo reencontrado,* Acuarela Libros / A. Machado Libros, Madrid, 2008, pp. 15-43; André y Raphaël Glucksmann, *Mayo del 68. Por la subversión permanente,* Taurus, Madrid, 2008, pp. 11-35; Carlos Fuentes, *Los 68. París-Praga-México,* Debate, Barcelona, 2005, pp. 25-103. Véase también Jorge Volpi, *La imaginación al poder. Una historia intelectual de 1968,* Era, México, 1998, pp. 81-91.

co) fueron los escenarios de sus escrituras. La Roma de Casey es también la de Pasolini y Calvino; el Nueva York de Kozer es el de George Oppen y Djuna Barnes; el París de Sarduy y Tejera es el de *Tel Quel* y *La Quinzaine Littéraire,* el de Philippe Sollers y Julia Kristeva; la España de García Vega es la de *Revista de Occidente* y *Cuadernos para el Diálogo,* la de José María Valverde y Juan Benet; el México de Julieta Campos es el de Carlos Monsiváis y Juan García Ponce, el de *Plural* y *Vuelta.* El mundo de aquellos exiliados, donde se pasaba de la protesta contra la guerra de Vietnam al apoyo de la descolonización norafricana, giraba muy lejos de la órbita de la CIA, el Pentágono y sus delirios.

Las capitales culturales de Occidente han sido siempre lugares de fascinación con el espectáculo revolucionario. Lo fueron cuando Emmanuel Kant comprobó el entusiasmo que generaba la Revolución francesa o cuando Romain Rolland celebró a Lenin y a Stalin. Y lo fueron también cuando la izquierda estadunidense idolatró a Emiliano Zapata y a Pancho Villa, cuando Mao deslumbró a los filósofos franceses o cuando la Revolución cubana sumó símbolos a esa "fantasía roja", estudiada por Iván de la Nuez.[10] Ya desde mediados de la década de 1930, el periodista cubano —aunque nacido en Puerto Rico— Pablo de la Torriente Brau, antes de su partida a España como soldado de la República, observaba el gusto por las revoluciones cubanas y españolas de aquella década, que predominaba en la esfera pública de Nueva York:

> Siempre han tenido aquí indiscutible prestigio… los problemas de la Revolución cubana; el triunfo de nuestra música, habían hecho que las maracas —castañuelas ñáñigas— conquistaran Nueva York. Porque aquí, la mejor manera de obtener publicidad es realizar algo clamoroso, terrible, inaudito. ¿Qué cosa mejor que una revolución? Por eso, las luchas contra Machado, con sus alardes de heroísmo y sacrificio, con sus víctimas gloriosas,

---

[10] Iván de la Nuez, *Fantasía roja. Los intelectuales de izquierda y la Revolución cubana,* Debate, Barcelona, 2006.

INTRODUCCIÓN

con sus escenas de terror y barbarie, abrieron un mercado para todas las manifestaciones exteriores, plásticas y sonoras del pueblo de Cuba. Y los cabarets se llenaron de rumba y son, y en todas las casas, sobre el radio, se cruzaron dos maracas, como mazas heráldicas de una nueva nobleza: la nobleza sin ceremonia de la rumba y el son. Desde entonces, el *yubiar* de municiones de las maracas ha sido para los americanos algo así como la imagen confusa y sonora de Cuba y sus problemas. Mas ahora vendrán las castañuelas.[11]

La condición de exiliados de la Revolución cubana demandó de aquellos escritores un complejo posicionamiento público. A la vez que compartían el lenguaje y la mentalidad de las nuevas izquierdas, rechazaban el sistema político y la ideología oficial cubanas. La zona antisoviética de la izquierda intelectual de Occidente comprendía sus críticas al totalitarismo, pero, mayoritariamente, no respaldaba su oposición al gobierno cubano. Antonio Buero Vallejo se lo advirtió a Lorenzo García Vega, en cuanto éste llegó a Madrid, en noviembre de 1968: "no se ve bien, aquí en España, entre el mundillo intelectual, cualquier opinión contraria al régimen imperante en Cuba".[12] Las intervenciones públicas de aquellos intelectuales eran, por tanto, más sofisticadas que las del exilio tradicional.

Lejanía y tradición

La afiliación a estéticas de vanguardia suponía, para aquellos escritores, la dificultad de ajustar cuentas con la tradición desde la distancia, es decir, desde una lejanía que siempre tiende a la idealización de lo perdido. El nacionalismo instintivo de todo exiliado se veía compensado, en aquellos escritores, por

[11] Pablo de la Torriente Brau, *El periodista Pablo,* Letras Cubanas, La Habana, 1989, pp. 381-382.
[12] Lorenzo García Vega, *Rostros del reverso,* Monte Ávila Editores, Caracas, 1977, p. 52.

una asimilación crítica del legado literario. A contrapelo del predominante nacionalismo integrador que se abría paso en la política literaria del gobierno cubano, estos escritores proponían una revisión del canon colonial y poscolonial, generando curiosas recepciones, como la de José Lezama Lima por Severo Sarduy, la de Eliseo Diego por Julieta Campos, la de José Martí por Calvert Casey o la de Julián del Casal por Lorenzo García Vega.

Tal vez, el único caso de un escritor no exiliado que emprende, desde la isla, una lectura de la tradición literaria cubana con características similares a las de la vanguardia exiliada sea Antón Arrufat. El abandono de toda ontología poética nacional, planteado por Jorge Luis Borges en su conocido ensayo "El escritor argentino y la tradición" (1932) es también una actitud reconocible en Arrufat, aunque la misma, a diferencia de Borges y a semejanza de Casey, Sarduy, Campos o García Vega, no implique desistir del trazado de genealogías literarias personales o de una relación crítica o electiva con algunos autores canónicos de la isla. El vínculo que la poética de Arrufat ha desarrollado con Virgilio Piñera es, por ejemplo, muy parecido al que Sarduy desarrolló con Lezama: una afinidad electiva que le permite tomar distancia del nacionalismo y, a la vez, sumar atributos cosmopolitas a su poética.

La resistencia al marxismo-leninismo y al nacionalismo católico, a enfoques como los de José Antonio Portuondo o Mirta Aguirre, José María Chacón y Calvo o Cintio Vitier —discursos hegemónicos de la crítica literaria en Cuba desde mediados del siglo XX—, que ha protagonizado la literatura de Antón Arrufat, acerca su experiencia a la de los exiliados vanguardistas cubanos. No sólo porque el propio Arrufat fue, durante casi veinte años, una suerte de exiliado interior sino porque su idea de la literatura como oficio autónomo, forma de vida, testimonio de lecturas y linaje intelectual establece más de una conexión con las poéticas letradas de la diáspora.

No son éstos, desde luego, los únicos escritores exiliados y vanguardistas que ha conocido la literatura cubana en más de medio siglo. Heberto Padilla, Edmundo Desnoes, Antonio Benítez Rojo, Reinaldo Arenas, Guillermo Rosales, Julio Miranda o Jesús Díaz —por sólo mencionar media docena— merecerían también la atención de historiadores y críticos, como portadores de una obra que interpela y, a veces, reformula la tradición nacionalista y marxista de la isla. Me he limitado aquí a tratar sólo algunos casos de intelectuales cubanos que se exiliaron antes de 1968 y que articularon una poética literaria en la coyuntura ideológica y política de aquel año.

Desde esta orilla del siglo XXI vemos las vanguardias culturales como epopeyas de un pasado reciente. Hoy leemos estudios como el clásico *Las vanguardias artísticas del siglo XX* (2002), de Mario De Micheli, o repasamos los programas y manifiestos compilados por Jorge Schwartz en *Las vanguardias latinoamericanas* (2002) y no podemos evitar la sensación de que aquel espectáculo de sujetos y discursos que aspiraban a transformar el orden social desde la literatura y el arte pertenece a un mundo perdido. También en la literatura cubana, de la isla o del exilio, esa sensación es tangible, sólo que en la cultura exiliada se propaga a través del vacío de testimonios que genera una supuesta ausencia de tradición vanguardista. Este libro es un intento de documentar la realidad y el sueño de aquella vanguardia en el exilio cubano.

Lo que no puede documentar —ni mucho menos resolver intelectualmente— un libro como éste es el dilema que ese exilio vanguardista plantea a la tradición literaria cubana. ¿Qué tan leídos e incorporados como referentes de las poéticas producidas en la isla son estos escritores de la diáspora? Los límites a la difusión de la literatura exiliada en Cuba, levantados desde dentro o desde fuera de la isla, impiden una respuesta ponderada y convincente. El ejercicio de historia de la recepción de Virgilio Piñera, que ofrecemos aquí, podría extenderse a la obra de Guillermo Cabrera Infante, Severo Sarduy y Lorenzo García Vega, si es que realmente se aspira a describir el lugar del exilio en la literatura cubana del siglo XXI.

Las poéticas vanguardistas tienen siempre la ventaja de internarse en otras zonas nacionales o globales de la cultura. Los orientalismos de Sarduy o Kozer, diferentes entre sí, la huella de Miller y D. H. Lawrence en Casey, la aproximación de Campos a la *nouveau roman* francesa, las lecturas de escritores rumanos de Tejera o la asimilación del surrealismo y el psicoanálisis por García Vega son algunas de las variaciones del cosmopolitismo en aquella vanguardia exiliada. Pero los escritores vanguardistas, sobre todo en una cultura tan nacionalista como la cubana, suelen correr el riesgo de desconectarse de la tradición originaria contra la que reaccionaron sus estéticas. Hay un elemento oceánico, de reemplazo de la tierra por el mar, en toda literatura exiliada, que no siempre asegura su regreso a la costa, su resaca intelectual.

En la obra de Casey y Arrufat, de Campos y Tejera, de Sarduy y García Vega la dialéctica de la tradición literaria cubana fue más allá de las modalidades del realismo republicano (Labrador Ruiz, Montenegro o Carpentier) y de la mera reacción contra el grupo *Orígenes,* que caracterizó al temprano vanguardismo de *Lunes de Revolución.* En algunos casos, como García Vega, Sarduy, Campos y Kozer, ese rebasamiento de la alternativa vanguardia/tradición no fue ajeno a una reapropiación personal del legado origenista o a una inscripción en estrategias neobarrocas. Sin embargo, esa vuelta a *Orígenes* —o al *Orígenes* más amigado con la vanguardia, que es el de Piñera y García Vega— no parece suficiente, aun en el caso de un escritor residente en la isla como Antón Arrufat, para asegurar un regreso a la hegemonía estética de la tradición nacional.

El propio José Lezama Lima, la figura central de *Orígenes,* pareció aludir a esa dificultad del regreso a la tradición cuando recomendaba a sus amigos exiliados sustituir el *pathos* del exilio por una erótica de la lejanía. Daba por descontado, el autor de *Muerte de Narciso,* que la buena literatura cubana, producida en el exilio, siempre regresaba a la isla y se sumaba al diálogo intelectual con las nuevas generaciones. La historia de la poesía cubana del siglo XIX, inconcebible sin la obra desterrada de José María Heredia, Gertrudis Gómez de Avellaneda, Juan Clemente Zenea y José Martí, lo convencía de ese eros del exilio. A principios del siglo XXI y a pesar de la mayor conectividad de la nueva era tecnológica, el lugar de la vanguardia exiliada cubana dentro de la literatura insular es más incierto.

La Condesa, México D. F., Navidad del 2010

I. Huir de la espiral

VANGUARDIA fue un concepto central de las teorías culturales del siglo XX. Desde las primeras décadas de aquella centuria, la idea de que pequeños círculos artísticos y literarios, abastecidos por una estética de avanzada, podían crear comunidades culturales modernas, se arraigó en el campo intelectual de Occidente. En su clásico estudio *Theorie der Avantgarde* (1974), Peter Bürger sostenía que al cuestionar la "institución" y la "autonomía" burguesas del arte, las vanguardias contraían una deuda enorme con el pensamiento militar y político, de los siglos XIX y XX, en el que nombres como Karl von Clausewitz, Carlos Marx, Georges Sorel o Vladimir Ilich Lenin eran ineludibles.[1]

En las últimas décadas, la noción de vanguardia, otrora defendida con la misma vehemencia por Theodor W. Adorno y Octavio Paz, se ha visto cuestionada por las teorías posmodernas y multiculturales de la globalización.[2] El desarrollo de la cultura de masas, la crisis de la ciudad letrada y el desgaste de los discursos emancipatorios, que acompañaron a las vanguardias, han restado influencia a esa visión de las élites intelectuales que afirmaba el rol social de la estética y que favorecía diversas politizaciones del arte. El vanguardismo artístico y

[1] Peter Bürger, *Teoría de la vanguardia,* Península, Barcelona, 1997, pp. 62-63.

[2] Adolfo Vázquez Rocca, "La crisis de las vanguardias artísticas y el debate modernidad-posmodernidad", *Ábaco,* núms. 44-45, pp. 141-155. Véase también Jean Franco, *Decadencia y caída de la ciudad letrada. La literatura latinoamericana durante la Guerra Fría,* Debate, Barcelona, 2003.

literario no ha desaparecido, pero ha perdido la hegemonía que detentaba sobre la esfera pública moderna.

En cualquiera de sus definiciones, la vanguardia aparece siempre interrelacionada con un público o una masa, que traducen el mensaje estético en prácticas liberadoras del sujeto. Cuando el artista o el escritor de vanguardia se exilian, esa conexión con el destinatario de los discursos, se ve interferida o desplazada hacia otros territorios de subjetivación. El arte y la literatura del exiliado, cuando son de vanguardia, experimentan una mutación simbólica, impelida, en muchos casos, por el abandono de una comunidad de origen y la adopción de una comunidad de destino. En todo exilio se produce una tensión agonística entre el reclamo de pertenencia a una tradición perdida y el lanzamiento de poéticas vanguardistas.

Esa mutación y esa tensión son perceptibles, por ejemplo, en los casos de escritores cubanos, inscritos en movimientos de las vanguardias estéticas y políticas de las décadas de 1950 y 1960, que abandonaron la isla a partir del triunfo de la Revolución de 1959. Severo Sarduy, Calvert Casey, Nivaria Tejera, Lorenzo García Vega, Octavio Armand, José Kozer y Julieta Campos serían siete ejemplos de escritores vanguardistas, cuyas literaturas migran del campo referencial de la Cuba de los últimos años de la República y primeros del socialismo y se insertan en espacios intelectuales europeos, estadunidenses y latinoamericanos a partir de los años 1960. El exilio podría agregarse a la significación del concepto de "vanguardia transitiva", que el narrador y crítico Alberto Garrandés utilizó para captar la transferencia de poéticas y políticas experimentales en la cultura cubana de la década de 1960.[3]

Sarduy, por ejemplo, pasó de La Habana piñeriana y lezamiana, de fines de la década de 1950, de *Ciclón, Nueva Generación* y *Lunes de Revolución,* al París de *Tel Quel, Art Press,* Barthes y Lacan. En las entrevistas que le hicieron Danubio Torres

---

[3] Alberto Garrandés, *Heresiarcas y pontífices. La narrativa cubana de los años sesenta,* Cuba Literaria, La Habana, 2004, pp. 6-31.

Fierro, Julio Ortega, Jorge Schwartz y Gustavo Guerrero, Sarduy colocó siempre su "neobarroco" bajo una interlocución con la filosofía vanguardista francesa, inmersa entonces en el estructuralismo.[4] Una migración similar podría reconstruirse a través de los libros de Julieta Campos, en México, entre fines de la década de 1960 y principios de la de 1980: *Muerte por agua, Celina o los gatos, Tiene los cabellos rojizos y se llama Sabina* y *El miedo a perder a Eurídice*. Todos, textos escritos bajo el influjo de la nueva novela francesa (Robbe-Grillet, Sarraute, Butor, Duras, Simon) y su recepción en el círculo mexicano de *Plural* y *Vuelta*, encabezado por Octavio Paz.[5]

Otro desplazamiento semejante podría encontrarse en la Roma de Calvert Casey —cuánto no debe la prosa glandular y escatológica de *Piazza Morgana* (1969) a la estética del "neorrealismo italiano" y, específicamente, a *Accatone* (1961) y otras películas, poemarios, novelas y ensayos de Pier Paolo Pasolini— o en el Nueva York de Lorenzo García Vega, José Kozer, Octavio Armand y la revista *Exilio* (1965-1973). En aquella publicación, ilustrada por piezas *op art* de Waldo Díaz-Balart, en la que se leían ensayos neorigenistas de Raimundo Fernández Bonilla y disertaciones existencialistas de Humberto Piñera Llera, elogios de Benjamin Péret y Piet Mondrian, la literatura cubana experimentó una de sus últimas confluencias generacionales de poéticas vanguardistas.[6] Poéticas articuladas, desde el exilio, es decir, desde las antípodas ideológicas de la Revolución, pero inmersas en una discursividad "revolucionaria", abastecida por el surrealismo tardío, el abstraccionismo, la *beat generation,* el psicoanálisis y la "contracultura" norteamericana.

Dos notas publicadas en *Exilio,* dirigida por Víctor Batista Falla y Raimundo Fernández Bonilla, nos ayudan a comprender la paradoja de aquella vanguardia peregrina. En el número de

[4] Severo Sarduy, *Obra completa*, t. II, FCE/ALLCA XX/Unesco Madrid, 1999, pp. 1813-1840.
[5] Julieta Campos, *Reunión de familia*, FCE, México, 1997, pp. 7-21.
[6] Carlos Espinosa Domínguez, *Índice de la revista* Exilio *(1965-1973),* Término Editorial, Cincinnati, 2003, pp. 9-12.

la primavera de 1971, el crítico Carlos M. Luis, muy cercano a José Lezama Lima en sus últimos días habaneros, reseñaba el libro *The Making of a Counterculture* (1969) de Theodore Roszak. Como tantos intelectuales vanguardistas de su generación, Luis simpatizaba con los proyectos "contraculturales" que inundaban el arte y la literatura estadunidenses de la década de 1960 y advertía que la *revolución* estética que los mismos impulsaban era inevitable: "la Revolución... cuánto terror y esperanza despierta en una época que aún tiene los ojos vendados. Y sin embargo, estamos, vivimos en una revolución; está ocurriendo aquí y ahora sin que aparentemente nada pueda detenerla".[7]

Luis constataba que el sustrato ideológico de aquella revolución estética y, a la vez, social y sexual, estaba conformado por pensadores de izquierda: Marx, Freud, Herbert Marcuse, Norman O. Brown... Sin embargo, como exiliado cubano, se veía obligado a ponderar aquella plataforma filosófica, rechazando, a la vez, sus modalidades políticas en Cuba o cualquier otro país comunista: "los que un día nos unimos a ella y suscribimos los dictados de la llamada Revolución cubana sabemos lo que ésta nos depara o... ¿realmente lo sabemos?, porque la farsa que se ha impuesto sobre Cuba nos ha arrancado, entre otras cosas, la fe en su posibilidad de justicia y un entusiasmo en defenderla".[8] Para un crítico de arte, plenamente adscrito a las vanguardias del siglo xx —como puede leerse en su elocuente defensa de Wifredo Lam en el número de verano de 1972, de *Exilio*—, la asunción de una estética revolucionaria iba acompañada del rechazo a una política revolucionaria.

Otra nota, en la misma revista *Exilio*, del poeta José Mario nos ayuda a comprender el subsuelo teórico de aquellas vanguardias. Se trata del breve e intenso artículo "André Breton: surrealismo, crítica y tradición", aparecido en el número de otoño de 1972. Allí Mario comenzaba sosteniendo que el si-

---

[7] Carlos M. Luis, "*The Making of a Counter Culture,* by Theodore Roszak (Doubleday and Co., 1969)", *Exilio* (invierno-primavera de 1971), p. 151.
[8] *Idem.*

HUIR DE LA ESPIRAL

glo xx había producido una ruptura de la tradición y un severo cuestionamiento de las continuidades de la cultura universal. Breton y el surrealismo habían sido, según el poeta, agentes formidables del quiebre con el "escalonamiento de los movimientos que han elaborado la Cultura" y con la idea de la "tradición" como "generadora de la Historia".[9] En su evocación de la estética dadaísta y surrealista, asumida como manifestaciones de otra "tradición", la de Lautréamont, Baudelaire, Rimbaud y Freud, Mario vindicaba el elemento redentor y utópico de las vanguardias:

> La realidad ausculta los latidos del nuevo corazón de un hombre poeta que deshaga el enigma cotidiano de nuestro planeta y sus relaciones intemporales con el infinito. André Breton no dejó de captarlo sensiblemente en su apreciación del Amor y su adhesión al futuro en la obra de Fourier. Si algo importante nos toca del surrealismo es, en lo más recóndito, aquello que quedará siempre por decir, lo intuido, lo sentido, lo que no tiene posibilidad de expresión, su fidelidad a la poesía del hombre como un estado perenne del espíritu (no como cultura).[10]

En un artículo sobre el bicentenario de Charles Fourier de Carlos M. Luis, publicado a continuación del ensayo de Mario sobre Breton, se reiteraba esta simbiosis entre surrealismo, psicoanálisis y contracultura, también defendida por Octavio Paz en México.[11] En el Nueva York de Warhol, Lichtenstein y Johns, pero también de Lou Reed, John Giorno y Jack Smith, la principal revista intelectual del exilio cubano se adscribía, naturalmente, a ese repertorio vanguardista. Varios escritores tradicionales de la República, como Eugenio Florit, Gastón Baquero, Lydia Cabrera y Lino Novás Calvo, publicaron en *Exilio*.

[9] José Mario, "André Breton: surrealismo, crítica y tradición", *Exilio* (otoño de 1972), p. 147.
[10] *Ibid.*, p. 150.
[11] Carlos M. Luis, "Nota sobre el bicentenario de Fourier", *Exilio* (otoño de 1972), pp. 151-153.

Sin embargo, los editores de la revista promovían una literatura nueva y rupturista, como se evidencia en la entrevista que hiciera uno de los directores, Víctor Batista, a Lino Novás Calvo, también aparecida en el número de otoño de 1972.

En aquella entrevista, Batista intentaba llevar a Novás Calvo a una reflexión abierta sobre la nueva narrativa hispanoamericana de la década de 1960, pero el autor de *Maneras de contar* (1970) se mostraba elusivo. Novás Calvo reaccionaba, no sin ironía, contra "los múltiples ismos que se han venido sucediendo desde la posprimera Guerra Mundial" y alertaba contra el peligro de "que los ismos se conviertan en orejeras", ya que "no sólo de estructuras vive la literatura. Puede, incluso, morir de ellas".[12] Novás Calvo no desdeñaba la renovación técnica y estilística de la novela y el cuento —"monólogo interior, flujo de la conciencia, juegos temporales, juegos espaciales, diálogos potenciales, puntos de vista aglutinados, puntuación arbitraria, personajes espectrales, rompecabezas argumentales... ¡qué sé yo! Para nunca acabar"—, pero recelaba de la lógica de la moda que imponía el vanguardismo estructuralista.[13]

Las poéticas literarias alentadas por *Exilio* estaban más cerca del Lorenzo García Vega de *Cetrería del títere* que del Lino Novás Calvo de *Pedro Blanco, el Negrero*. En el ensayo "Cuatro poetas hispanoamericanos en los Estados Unidos" de José Kozer, aparecido en el número de verano de 1971, es perceptible esta orientación. En los poemas del costarricense Álvaro Cardona-Hine, del peruano Isaac Goldemberg, del cubano Rolando Campíns y en los suyos propios, Kozer encontraba una progresión estética que, por la vía del surrealismo, desembocaba en el horizonte de la antipoesía de Nicanor Parra.[14] Esas poéticas, según Kozer, tomaban distancia, a la vez, del realis-

[12] Víctor Batista Falla, "¿A dónde va nuestra narrativa?", *Exilio* (otoño de 1972), p. 23.

[13] *Ibid.*, p. 24.

[14] José Kozer, "Cuatro poetas hispanoamericanos en los Estados Unidos", *Exilio* (verano de 1971), pp. 141-155.

mo conversacional y del barroco conceptualista que predominaban en las letras hispanoamericanas de entonces.

Casi todos los colaboradores de *Exilio,* incluido Novás Calvo, eran conscientes de que la estética vanguardista convergía, tanto en los Estados Unidos como en Europa y América Latina, en el mayoritario respaldo ideológico y político que la Revolución cubana suscitaba en Occidente. En su ensayo *Barroco* (1974), Severo Sarduy sostenía un concepto de *Revolución* que no era una simple relectura de las teorías de Copérnico, Kepler y Galileo sino que, a través de Bataille y buena parte del naciente posestructuralismo francés, identificaba el barroco con una estrategia intelectual anticapitalista, en la que "malgastar, dilapidar, derrochar lenguaje únicamente en función del placer" eran gestos críticos de la "ideología del consumo y la acumulación", propia de la modernidad.[15] El "barroco de la Revolución", al que se refería entonces Sarduy, no estaba muy lejos, en términos ideológicos y estéticos, del que simbolizaba la Cuba socialista.[16]

Sin embargo, todos aquellos exiliados vanguardistas eran críticos y opositores del gobierno cubano. En la contradicción de defender una estética, que en la década de 1960 había sido políticamente capitalizada por el Estado socialista, residía el drama de aquella vanguardia peregrina. Un drama público, fácilmente legible en la tensa inserción de aquellos escritores en los medios literarios occidentales, favorables a Fidel Castro, y en el dilema de un complejo discernimiento entre estética e ideología, entre poética y política. A partir de 1971, con el encarcelamiento del poeta Heberto Padilla y la sovietización de la cultura insular, ese drama comenzaría a ser sufrido, también, por muchos intelectuales y artistas de Occidente. Desde entonces, defender una estética vanguardista será, para aquel exilio, oponerse a la ortodoxia cultural del socialismo cubano.

[15] Severo Sarduy, *op. cit.*, p. 1250
[16] *Ibid.*, p. 1253.

Cronopios desertores

El itinerario intelectual de Nivaria Tejera corre paralelo al de otros dos escritores de su generación, afincados en aquella Europa vanguardista de la década de 1960: Calvert Casey y Severo Sarduy. Como éstos, Tejera debutó como escritora en la revista *Ciclón,* pero a diferencia de ellos, alcanzó a publicar en *Orígenes,* específicamente en el número 35 de 1954 —no el dirigido por José Rodríguez Feo, donde apareció el cuento de Guillermo Cabrera Infante "La mosca en el vaso de leche", sino el primero de aquella revista que dirigió José Lezama Lima en solitario—. En *Orígenes* apareció el capítulo noveno de *El barranco* (1959), las memorias de la infancia de Tejera durante la Guerra Civil española en Tenerife.

El barranco era la prosa de una poeta —Tejera había publicado tres cuadernos, *Luces y piedras* (1949), escrito a sus dieciséis años, *Luz de lágrima* (1951) y *La gruta* (1952)— que debió admirar Lezama. En aquellas memorias Tejera lograba recolocarse en la perspectiva de una niña exiliada en Canarias, con el padre recluido, que sentía la presencia de la guerra en la "tierra que, cuando llueve, se pone tan triste y arrugada que da espanto" o en las "marcas de pisadas extrañas en los trillos".[17] Esa guerra, que "mira porque tiene ojos" vive en la mente de la niña como "los animalitos que caminan pegados a la frente... como un forro o como un hacha, o como un Arca de Noé, del modo que lo contaba abuelo, al son de la avena, de manera que la avena parecía un instrumento mientras duraba llegar al fondo del tazón".[18]

Esa poesía y esa prosa despertaron el interés de Cintio Vitier, quien al final de *Lo cubano en la poesía* (1958) catalogó a Nivaria Tejera, junto a Rafaela Chacón Nardi y Cleva Solís, como una de las escritoras más creativas de su generación. Vitier dirá entonces que Tejera "maduraba lejos la promesa de su

[17] Nivaria Tejera, "El Barranco", *Orígenes,* año XI, núm. 35 (La Habana, 1954), p. 51.
[18] *Ibid.,* pp. 50-51.

voz", aludiendo al primer exilio de la escritora en París, bajo la dictadura de Fulgencio Batista.[19] Pero el juicio de Vitier no se refería únicamente a los cuadernos juveniles sino a *El barranco,* donde la prosa de Tejera adquirirá una personalidad distintiva. Sin desdeñar su poesía posterior —*Innumerables voces* (1964), *La barrera fluídica o París escarabajo* (1976), *Rueda del exiliado* (1983) y *Martelar* (1983)— aquella prosa hiperestésica y asociativa, divagante y, a la vez, concentrada de *El barranco,* se convertiría en el sello estético de Nivaria Tejera.[20]

En su *Antología de la novela cubana* (1960), Lorenzo García Vega llamaba la atención sobre la imagen de lo "desvencijado" en la prosa de Nivaria Tejera. Advertía entonces el autor de *Cetrería del títere* que Tejera daba un "salto rápido y femenino de un contexto a otro", que distinguía su narrativa con una capacidad asociativa emparentada con la poesía: "detenerse en lo frío y lo vacío de algún hecho" o "fijar la experiencia del primer contacto con la muerte" remitían a una estructura analógica, en la que "cualquier cosa, una calle quizás, o la vieja pared de la tienda de una esquina", sumaban reflejos y relieves hasta conformar la "sorda aridez de una advertencia".[21]

A partir de *El barranco* los libros en prosa de Nivaria Tejera han sido ejercicios de escritura que reproducen un mismo gesto: colocarse en la intersección entre subconsciencia y consciencia de un personaje —la niña de Tenerife, el mulato habanero Sidelfiro, protagonista de *Sonámbulo del sol* (1971), el paseante ciego de París, Claudio Tiresias, en *Fuir la spirale* (1987), la adulta escritora exiliada de *Espero la noche para soñarte, Revolución* (2002)— y desde esa cavidad mental, atrave-

[19] Cintio Vitier, *Lo cubano en la poesía,* Instituto Cubano del Libro, La Habana, 1970, p. 570.

[20] Para una valoración más amplia de la literatura de Nivaria Tejera véase el homenaje publicado en el número 39 de *Encuentro* (invierno de 2005-2006), coordinado por Pío E. Serrano y en el que intervinieron Claude Couffon, José Rodríguez Padrón, María Hernández Ojeda, Héctor Bianciotti, Maurice Nadeau, Elizabeth Burgos, William Navarrete e Isel Rivero.

[21] Lorenzo García Vega, *Antología de la novela cubana,* Dirección General de Cultura/Ministerio de Educación, La Habana, 1960, p. 503.

sada por discursos racionales y delirantes, vigilantes u oníricos, narrar la ciudad y el mundo. El método escriturario de Tejera proviene, pues, de las vanguardias narrativas de la baja modernidad occidental (Kafka, Proust, Joyce, Beckett, Nabokov, Bernhard), que reformularon la epistemología de la novela contemporánea.

La sedimentación de esa poética en la escritura de Nivaria Tejera podría ubicarse entre 1965 y 1970, es decir, en los años que van desde su llegada a París, tras la renuncia al cargo de *attaché* cultural del gobierno revolucionario en Roma, a la aparición de *Somnambule du soleil,* traducida por Adélaïde Blasquez, en la colección Lettres Nouvelles, dirigida por Maurice Nadeau. En su prólogo a *Paris Scarabée,* Nadeau captó aquella dramática transición de la poesía a la prosa y de la Revolución al Exilio, en la escritura de Tejera: "que Nivaria fuera poeta lo supe antes de publicar *Le Ravin,* que me presentara como novela. Poeta ha sido en este texto dedicado a su padre y a los combatientes republicanos de España, poeta ha sido en el canto de su voz, en su risa, en la viveza de su atavío".[22] Y agregaba el legendario editor de la vanguardia francesa: "sin embargo, Nivaria ha escogido el exilio. Un exilio que primero fue nostálgico, la época de su segunda obra, *Somnambule du soleil,* que se transforma para nosotros en este *Paris scarabée*".[23]

Fueron aquellos los años en que la literatura de Nivaria Tejera se vuelve parisina y la escritora se afirma en su condición exiliada. En *Espero la noche para soñarte, Revolución* (2002), la autora rememoró aquel cambio de piel y su difícil asimilación en el campo intelectual de la izquierda francesa de los sesenta. El Quartier Latin de París, abarrotado de "pintores constructivistas o cinéticos o surrealistas, poetas y guitarristas, promulgadores de fiestas, latinos en su amargura, predispuestos para todo azar, barcas al garete a la caza del enjambre de abejas que los sigan al café a discutir de las futuras revoluciones que libe-

[22] Maurice Nadeau, "Paris Scarabée", *Encuentro,* núm. 39 (invierno de 2005-2006), p. 43.
[23] *Idem.*

rarán nuestro continente de tantas dictaduras", rechazó a la joven exiliada cubana.[24] Cuando, en 1970, Maurice Nadeau decidió incluir *Somnanmbule du soleil* en Letters Nouvelles, la prestigiosa editorial pidió un prólogo a Julio Cortázar. El autor de *Rayuela* declinó la solicitud en carta a Tejera:

> Salvo por momentos, por episodios, nunca conseguí vivir desde dentro de tu novela. Me pasó como en las óperas de Mozart que maravillan a todo el mundo y que yo escucho sin sentirme involucrado, ajeno a ese universo de voz y sonido. Creo que tu libro es muy bueno y que está lleno de poesía y vida (dos cosas que son una pero que pocos saben aliar bien). Sin embargo me quedé fuera de él y casi todo el tiempo lo leí sin contacto. De ningún modo debe preocuparte esta reacción mía pues creo que yo salgo perdiendo más que tú —como Gide cuando rechazó a Proust—. ¿Pero qué culpa tenía Gide de que sus gustos o sus ideas literarias le vedaran el acceso al mundo proustiano?[25]

No eran pocas las sintonías estéticas entre el mundo cortazariano y la escritura vanguardista de la joven cubana. Tal vez por ello Nivaria Tejera no haya errado al interpretar aquella declinación de Cortázar como muestra del rechazo político que el escritor argentino, amigo de la Revolución, sentía por la literatura del exilio: "saltaba a la vista la causa de su falta de ósmosis y el solapado repudio que la encubría: imposible proteger a un disidente de la dictadura ideal sin condenarse".[26] El premio Biblioteca Breve de Seix Barral, que ganó *Sonámbulo de sol* en 1971, confirmó la inscripción de la literatura de Tejera en el circuito de aquella vanguardia latinoamericana en la que Cortázar era un autor de culto. Pero "cronopio *engagé*" no podía prefaciar a "cronopio desertor".[27]

[24] Nivaria Tejera, *Espero la noche para soñarte, Revolución*, Ediciones Universal, Miami, 2002, pp. 21-22.

[25] *Ibid.*, p. 24.

[26] *Idem.*

[27] *Ibid.*, p. 25.

Sonámbulo de sol era todavía un libro "cubano", frente al cual, las vanguardias europeas, comprometidas con el régimen de la isla, estaban obligadas a subordinar la estética a la ideología. La obra posterior de Tejera volvería más compleja aún aquella recepción al internarse en territorios desconectados con lo nacional y al referir su escritura a una subjetividad europea, en la que los campos de concentración de Treblinka, Auschwitz o Dachau eran traumas más tangibles que Bahía de Cochinos o la muerte del *Che* Guevara en Bolivia.[28] A la extrañeza de ser una cubana exiliada y de vanguardia, en el París del 68, Nivaria Tejera sumó una voluntad de escritura cosmopolita y exterior, que tomaba distancia de las representaciones más telúricas del drama cubano.

El París del 68, con su polifonía de referencias budistas y maoístas, guevaristas y vietnamitas, aparece en la obra de Tejera superpuesto a la imagen de una ciudad receptora de los grandes exilios intelectuales del siglo XX: desde el de los *émigrees* rusos y la estadunidense *lost generation,* en la década de 1920, hasta los rumanos y latinoamericanos que allí se asentaron antes y durante la segunda posguerra. Ese París como capital de exilios era el centro y, a la vez, la periferia de las revoluciones: éstas se codificaban simbólica y doctrinalmente, en la iconografía del *Che* Guevara o Mao Tse Tung, y en los tratados de Jean-Paul Sartre y Regis Debray. Un personaje de Tejera resume esa doble relación de proximidad y distancia que el París del 68 establecía con las revoluciones del Tercer Mundo:

Y para qué toda esa acumulación de corriente alterna que justifique sobrevivir como el sombrero puede justificar a la luna y los hierros del dentista los campos de concentración y el corazón vulnerable bajo su carapacho ritmado la capacidad muscular del hombre frente a la injusticia del Poder. La vida sucede lejos de aquí en los otros lejos de los otros en el "orden abierto" de la guerri-

---

[28] Nivaria Tejera, *Fuir la spirale,* Actes Sud, París, 1987, p. 73. Esta traducción al francés la citaremos aparte.

lla en la "torre abolida" del príncipe de Aquitania desde donde la eternidad se levanta puntual a despertar el ser enrarecido por la falta de libertad.[29]

El personaje, en su flujo de conciencia, reproducía frases de *Les Tempes Modernes, Tel Quel* y otras revistas de la izquierda existencialista y estructuralista francesa, que teorizaban las revoluciones chinas, vietnamitas, argelinas o cubanas. Pero la lejanía del sujeto, su condición de espectador parisino, interrogaba radicalmente el sentido de aquellos discursos incorporados a su mente. París era el lugar en que aquellas revoluciones se convertían en símbolos, pero también el lugar desde donde el exiliado latinoamericano podía desentenderse de las obsesiones ideológicas de la izquierda. Escritores como Nivaria Tejera constituían, por tanto, voces incómodas en aquel accidentado viaje de la imaginación al poder.

La exiliada cubana, protagonista de una Revolución que llegó a constituirse en Estado, podía ver lo que otros no veían: la estructura mesiánica de la argumentación ("las posturas de quienes esgrimen sus postulados como mesías tomando por emblema su astucia"), la estetización barroca de lo latinoamericano ("la barroca verborrea, su esqueleto sin deterioro protegido por la buena vida"), la apoteosis del mestizaje ideológico ("escenas eróticas y escenas de tortura, todo mezclado, rememorador de ese apocalipsis oscurantista del espíritu dictatorial").[30] Atisbos que representaban testimonios imposibles, inasimilables, cuando una joven narradora cubana, de vanguardia, se atrevía a escribir sobre la vuelta del "fetichismo del dictador", por la vía revolucionaria, o sobre "la libertad primaria del inocente compromiso/aquel que se llamaba revolución/hoy apoltronada/sin aliento ya/sin poseer otro aliento que las bufandas".[31]

[29] Nivaria Tejera, *Huir de la espiral*, Verbum, Madrid, 2010, p. 53.
[30] *Ibid.*, p. 42.
[31] *Ibid.*, p. 43.

La libertad del nómada

En 1987, la editorial Actes Sud publicó una rara novela de Nivaria Tejera. Su título, misterioso como pocos, era *Fuir la spirale* (*Huir de la espiral*) y aparecía, vertida al francés por Jean Marie Saint-Lu, un año después de la primera reedición de *Le Ravin* (1958), también en Actes Sud y en traducción de Claude Couffon. En la portada de aquella edición figuraba un detalle de *La Réponse imprévue* de Magritte, en el que una silueta imprecisamente humana, como la de un fantasma, atravesaba una puerta. En la contraportada, estas palabras del legendario editor Hubert Nyssen: "esto no es una novela, ni un poema, ni una epopeya, es tan sólo un relato. Una obra difícil, hermética, enigmática. Una aterradora insurrección del lenguaje".

No se equivocaba el siempre lúcido Nyssen: *Fuir la spirale* era un relato misterioso, donde se hablaba de "visiones giratorias", de "noches uniformantes", de "opacidades de abandono", de "rotaciones laberínticas", de "precipicios crepusculares", de "delirios autónomos" y de "fantasmas incandescentes".[32] Todas, expresiones enigmáticas que, para colmo, aparecían dentro del discurso alucinado y, por momentos, angustiosamente lógico, del personaje central: Claudio Tiresias Blecher. Los dos primeros nombres, de emperador cojo y profeta ciego, el apellido, de uno de aquellos grandes rumanos (Eliade, Cioran, Ionesco…) de la literatura francesa, Marcel Blecher, discípulo de Kafka, leyenda trunca del pensamiento judío, cuyas *Aventures dans l'irréalité inmédiate* regalaban el tono y el exergo a *Fuir la spirale*.

Como su admirado Blecher, Claudio Tiresias era un observador urbano que testificaba la ambivalencia del mundo. Abría y cerraba puertas, subía y bajaba escaleras, hablaba y callaba consigo mismo, miraba, alternativamente, a la tierra y al cielo, a una ribera y otra del Sena. En sus merodeos por las calles de Fossés-Saint-Jacques o de Blancs-Manteaux, en sus descansos

---

[32] Nivaria Tejera, *Fuir la spirale, op. cit.*, pp. 9-30.

en la Place des Vosgues, la mente de Claudio Tiresias fluía a distintas velocidades: a veces lenta, a veces en ilegible atropello.[33] En el espacio cerrado y reducido de su departamento, el personaje intentaba reproducir aquel frenesí exterior con lecturas de Hemingway, Joyce y Lowry, conciertos de Corelli y Mozart y ensimismadas reconstrucciones mentales de cuadros del Bosco.

Una vez en la calle, Claudio Tiresias se transformaba en una suerte de Licenciado Vidriera, errando por callejuelas de París sin otro propósito que huir del laberinto de sí mismo. Mirando, perplejo, la corriente del Sena, Claudio Tiresias piensa que el agua lo invita a imitar su huida, que el curso del río bien pudiera ser un gesto a seguir.[34] En ese momento, las alegorías de sus nombres se transparentan en una voluntad de escape: Claudio, emperador de sí mismo, como el Peer Gynt de Ibsen, es, también, Tiresias, un adivino invidente que, como el Ulises de Joyce, busca, a tientas, una salida del laberinto del yo: una fuga de la espiral de su existencia y un regreso a casa, es decir, a la nada.

Si no hubiera sido escrita por una joven cubana, de ascendencia canaria, exiliada en París y autora de *El barranco,* donde la Guerra Civil se libraba en la memoria de una niña, *Fuir la spirale* sería sólo un texto bien logrado, dentro de esa vasta secuela francesa de narrativas híbridas de las décadas de 1950 y 1960, en la que se mezclaban los últimos ecos del surrealismo y el existencialismo y la "escritura objetiva" del *nouveau roman*. Como sus contemporáneos franceses, Nivaria Tejera sentía que era preciso adentrarse en la aventura del escribir, eludiendo las formas tradicionales de la trama, el diálogo y la acción dramática entre personajes. Cerca de Joyce y de Beckett, la escritura era para ella, ante todo, el ordenamiento textual de una consciencia caótica, la trascripción de un torbellino mental.

Ciertos ejercicios experimentales de *Fuir la spirale* como dibujar palabras en el medio de la página, en forma de escalas

[33] *Ibid.,* pp. 21-25.
[34] *Ibid.,* p. 28.

y pendientes, o la reescritura exacta de un mismo pasaje, en varios momentos del libro, acercaban esta novela a la zona estilísticamente más aventurera del *boom* latinoamericano, impulsada no sólo por Cortázar sino, también, por Guillermo Cabrera Infante, tal vez, el único exiliado cubano que logró naturalizarse en aquel país literario.[35] Algo de ese gesto vertiginoso y arriesgado, de experimentar con los límites de la escritura, llega hasta las últimas poéticas de la vanguardia cubana, personificadas por escritores contemporáneos de Tejera como Severo Sarduy, Lorenzo García Vega, Octavio Armand o Julieta Campos, y autores de la nueva narrativa como Rolando Sánchez Mejías y José Manuel Prieto. Aunque estos últimos derivan hacia esos juegos de escritura desde la referencia posestructuralista, comparten con Nivaria Tejera la admiración por autores como Macedonio Fernández y Bruno Schulz, que hicieron de la narrativa un arte en perpetuo desplazamiento de sentidos.

No habría, sin embargo, que remitir los ejercicios de escritura de Tejera únicamente a ciertas tradiciones de la narrativa occidental. Había también en *Fuir la spirale* un intento de incorporación, en el texto, de las modalidades escriturarias de la poesía simbolista y surrealista francesa, especialmente de Rimbaud, Mallarmé y Éluard. La mente de Blecher se proyectaba sobre la página en forma escalonada, de izquierda a derecha o de arriba abajo, en línea recta, discontinua o diagonal. La mezcla entre el uso arbitrario de los signos de puntuación y la dispersión del texto en la página producía una reconstrucción del universo imaginario del personaje en la que los versos fugitivos se sumaban a los sentidos diaspóricos de la narrativa de Tejera.

Con su silencio de sátrapa queriéndonos ocultar artimañas y
desganos con los que la disección del techo recubre la hondonada que fue en tiempos de piedra de reposo un espacio sin más apoyo que la *tierra extranjera*

---

[35] *Ibid.*, pp. 125-129.

del exiliado-suicida

del exiliado-vértigo de las esquinas

y a su azoramiento extraviado

del exiliado-mendigo

del exiliado-tartamudo en silencio.[36]

La vanguardia de Nivaria Tejera está fechada, tiene lugar y tiempo en la historia cultural de Occidente: el París de la década de 1960. No por azar, la mente huidiza de Claudio Tiresias Blecher se ve constantemente interferida por noticias de la guerra de Vietnam, que en la Francia de De Gaulle se vivió con especial intensidad.[37] Lo distintivo de la escritura de Nivaria Tejera, en *Fuir la spirale,* como antes y después, en *El barranco* (1958), *Sonámbulo de sol* (1971) y *Espero la noche para soñarte, Revolución* (2002), es que ese repertorio simbólico de la vanguardia y, en general, de la izquierda cultural de la década de 1960, aparece siempre incorporado a una asunción del exilio como destino personal.

En algún momento, Claudio Tiresias Blecher lamenta una "errancia sin libertad" y se previene de la inevitable "exaltación del exilio" que sufre cualquier desterrado. Justo ahí se percata de que esa espiral de la que quiere huir es, precisamente, la que han formado en su interior las diversas estaciones del éxodo.[38] Lo que lo ha convertido en otro, en una criatura ajena bajo su piel, es ese laberinto mental, asfixiante e ineludible, del exilio. Nivaria Tejera formula, así, la metáfora del destierro como sendero fugitivo, como espiral en ascenso, que desemboca en la huida final de toda escritura. La transcripción de esa epopeya

---

[36] Nivaria Tejera, *Huir de la espiral, op. cit.,* p. 32.
[37] *Ibid.,* pp. 16-17.
[38] *Ibid.,* p. 39.

interior es la única salida del laberinto: el único modo de alcanzar la libertad en la errancia.

Fuir la spirale es el libro de prosas más parisino de Nivaria Tejera y tal vez, por ello, uno de los que más se adentra en el entendimiento de la condición exiliada. Detrás de la ventana o en plena calle, Claudio Tiresias busca obsesivamente el fin de la espiral o la salida de ese laberinto que todo exilio construye alrededor del sujeto. Nivaria Tejera parece decirnos que el laberinto del exilio no tiene fin, que la huida no es más que otra curva de la espiral. Así como la locura y el suicidio pueden ser actos de la razón y la vida, el exilio no es la pérdida de una comunidad de origen y la ganancia de otra de destino sino la reinvención de un país por medio de la escritura.

La peregrinación de la vanguardia, en esta literatura, queda establecida como una constante del gran legado literario occidental en el pasado siglo y no como una calamidad cubana. ¿Acaso no fueron, también, vanguardistas exiliados Joyce y Nabokov, Borges y Cortázar, Cioran y Blecher, Freud y Mann? Es en esa tradición del exilio, entendida a la manera cosmopolita, donde habría que encontrar los orígenes de buena parte de la literatura escrita por cubanos, fuera de la isla, en el último medio siglo. Es en las postrimerías de esa tradición donde habría que ubicar el vanguardismo de escritores como Lorenzo García Vega, Severo Sarduy, Calvert Casey, José Kozer, Octavio Armand, Julieta Campos y, por supuesto, Nivaria Tejera. Un raro poema de esta última, dedicado precisamente a París, como capital de exilios, capta muy bien el cosmopolitismo vanguardista de aquella generación:

El Sena, la lluvia y la avenida forman un mismo puente

En la charca metífica de la ciudad

Nos reflejamos sin que nos vean

Los hombros caídos por el peso fantasmal del mito

Denuncian nuestra identidad

Mientras los irremplazables nos fijan

Atascando la mirada turbia

La solitaria traza de hombre libre que nos disfraza al caminar

¿Es usted griego armenio portugués argentino?

Los irremplazables nos acusan del acento

Que disimula el silencio de nuestra espalda

Nosotros somos esa aguja del cuadrante solar

Con la que juega el canto del pájaro.[39]

Todas las alegorías posibles del exilio —fuga, suicidio, trashumancia, precipicio, locura, desplazamiento, duplicación, mendicidad, tartamudez…—, eran convocadas en aquella novela de Tejera. Y todas iban a perder sus significados propios en la metáfora de la espiral. ¿Qué era la espiral? No habría que forzar la hermenéutica para concluir que la espiral era el proceso de reconstrucción estética de la vida que proponían las vanguardias y los exilios y que, eventualmente, podía alcanzar traducciones políticas. La alternativa que planteaba Nivaria Tejera al exiliado cubano vanguardista era integrarse o huir de la espiral. Tanto el personaje, Claudio Tiresias Blecher, como su creadora, Nivaria Tejera, optaron, sin embargo, por la huida.

La huida de la espiral no significaba, para ninguno de ellos dos, el abandono del arte o la renuncia a toda opción emancipatoria de producción estética. La huida era el escape a cual-

[39] Ángel Esteban y Álvaro Salvador, *Antología de la poesía cubana*, t. IV, Verbum, Madrid, 2002, pp. 232-233.

quier instrumentación política que subordinara los sentidos y las imágenes del arte o la literatura a la construcción del poder o a la legitimación de un orden autoritario o totalitario. Huir de la espiral era, en suma, el gesto emblemático de una vanguardia que seguía creyendo en el mejoramiento ilustrado de la condición humana por medio del arte, pero que renegaba, ya, de toda estrategia de captura o secuestro de la soberanía y el sujeto.

II. Herido por la luz

Cuando Calvert Casey se suicidó en Roma, en 1969, su escritura se movía hacia la plena asunción de dos obsesiones inveteradas: el sexo y la muerte. Entre los cuentos de *El regreso* (1962) y la inconclusa novela, *Gianni, Gianni* (1969), la prosa de Casey perfiló una poética circular, que imaginaba el amor y el deseo como formas de entrega del sujeto, similares a la pérdida de la vida o a la suspensión del yo. En el capítulo que se conserva de aquella novela destruida, titulado "Piazza Morgana", se lee fácilmente la idea de una penetración en el cuerpo del otro, no como posesión, sino como abandono y persistencia de sí. En una variación sobre el tema estoico del suicidio placentero, Casey, a la manera de Georges Bataille o de Ernst Jünger, transfiguraba el dolor físico del sexo y la muerte en formas plenas del goce estético y moral.[1]

María Zambrano, que en su *Séneca* había explorado por la vía heideggeriana aquellas paradojas del estoicismo, describió a Casey como un sujeto "herido por la luz".[2] En el artículo "Calvert Casey, el indefenso, entre el ser y la nada" (1982), la filósofa española lo recordaba recién llegado a Roma como una criatura entre la vida y la muerte, que llevaba consigo una Habana íntima. Zambrano decía saber qué Habana era aquélla: "habría señalado la calle donde habitaba y lo que es más decisivo: el sonido, el río de las conversaciones, la hondura de los silencios, el vacío que no se abría en sus balcones, en sus por-

---

[1] Georges Bataille, *Las lágrimas de Eros,* Tusquets, Barcelona, 1997, pp. 41-58; Ernst Jünger, *Sobre el dolor,* Tusquets, Barcelona, 1995, pp. 13-39.
[2] María Zambrano, *Séneca,* Siruela, Madrid, 1994, pp. 76-79.

▶   43

tales, el hueco hospitalario que en ciertos momentos alumbra allí repentinamente caído del cielo".[3] En esa Habana, concluía, "la luz hería por sí misma" a sujetos como Casey, marcados para siempre por una vocación de muerte.

Zambrano citaba un pasaje del cuento *El regreso*, en el que el narrador habla de un "vacío extraído del aire" que se interpone entre "él y cada uno de los episodios de su vida", para ilustrar aquella vocación de muerte.[4] Pero Zambrano atribuía esa herida de la luz, esa escritura en el "confín de la vida", a un drama cristiano, no precisamente estoico, que habría que interpretar con mayor sutileza en el caso de un vanguardista homosexual y suicida como Casey. Zambrano otorgaba al "regreso" de Casey —la vuelta a Cuba en la década de 1950— una connotación católica, como recuperación de una "virginidad" que es difícil hallar en la prosa de Casey. Aun cuando Zambrano hablaba de una "virginidad desde donde toda renovación de la vida se produce", la analogía del fin del breve exilio de Casey, durante la dictadura de Batista, con un regreso a la "tierra" y a la Virgen María resulta discordante con el mundo literario, extraterritorial y cosmopolita del autor de *El regreso*.[5]

Más cerca de ese mundo estaba la visión, también propuesta por Zambrano, de Casey como un sujeto "pitagórico" que se rebela contra el "pensamiento aristotélico" y contrapone el "tiempo indefinido" al "encierro" y la "cárcel" del "tiempo sucesivo".[6] Ese Casey, que busca siempre rebasar la frontera de un territorio rígidamente demarcado, es más parecido a su propia escritura, como lo advirtiera Italo Calvino, inventor de fábulas territoriales. Casey fue, según Calvino, "un escritor para quien la literatura era una sutil exploración entre la vida y la muerte" y una reflexión sobre los "bordes, los excesos y los diversos sentidos de un más allá del orden de lo natural o lo

[3] María Zambrano, *Islas,* Verbum, Madrid, 2006, p. 224.
[4] Calvert Casey, *Notas de un simulador,* Montesinos, Barcelona, 1997, p. 80.
[5] María Zambrano, *Islas, op. cit.,* p. 226.
[6] *Idem.*

normal".[7] Calvino no veía en esa vocación de muerte una marca de las heridas de la luz sino un recuerdo preciso de las piedras de La Habana.

La identificación de la plétora sexual con la muerte, que opera la literatura de Casey, parece colocarse, como sugería Bataille en *El erotismo* (1957), en las antípodas de un cristianismo incapaz de admitir la "santidad" de la "transgresión".[8] La libertad sexual demandada por Casey en sus relatos y ensayos restituía el sentido sacrificial del amor y la carne, pero no para vindicar el imaginario cristiano sino para enfrentarse a la "decencia" católica y burguesa, que eran los dispositivos morales de la inhibición y la represión.[9] Más claro aún que en el mismo Bataille, la idea de la desaparición en el cuerpo del amado podría relacionarse con el "humanismo del otro hombre" propuesto por Emmanuel Lévinas, cuya ética de la otredad colocaba la emancipación del yo en el lugar del sacrificio cristiano.[10]

La sangre del otro

El sexo y la muerte se convierten en los temas centrales de la literatura de Calvert Casey durante el proceso de formación de su autoría. No sería difícil inventariar los referentes de esa formación: Franz Kafka, D. H. Lawrence, Henry Miller, Jean Genet, Juan Carlos Onetti y Virgilio Piñera; el psicoanálisis, el existencialismo, el teatro del absurdo y la literatura estadunidense de la segunda posguerra: Hemingway, Dos Passos, Fitzgerald, pero también Salinger, Saroyan y McCullers; Kerouac, Burroughs y Kesey; Capote, Wolfe y el nuevo periodismo. Ese

[7] Italo Calvino, "Las piedras de La Habana", *Quimera*, núm. 26 (1982), pp. 54-55.

[8] Georges Bataille, *El erotismo,* Tusquets, Barcelona, 1997, pp. 94-95.

[9] *Ibid.*, p. 98.

[10] Emmanuel Lévinas, *Humanismo del otro hombre,* Caparrós Editores, Madrid, 1993, pp. 9-16; Emmanuel Lévinas, *Fuera del sujeto,* Caparrós Editores, Madrid, 1997, pp. 137-140.

campo referencial, perceptible ya en *El regreso* (1962) y *Memorias de una isla* (1964), se amplió aún más entre 1965 y 1969, durante sus cuatro últimos años de vida, exiliado en Roma.[11] *Gianni, Gianni* (1969), la novela que Casey destruyó antes de su suicidio, fue escrita en inglés, en una atmósfera marcada por el neorrealismo italiano —especialmente, por Pier Paolo Pasolini— y por lecturas de literatura erótica anglosajona.

En los ensayos sobre Kafka, Lawrence y Miller es legible el interés de Casey por el erotismo, la sexualidad y la pornografía. En la nota sobre *El castillo* llama la atención que Casey viera aquella parábola de la exclusión como una revuelta, de origen judaico, contra la preferencia cristiana de comunicación con Dios, y no con los otros hombres. Casey asegura que la hazaña narrativa de Kafka, basada en la "economía de elementos", era equivalente a la de *The Man Who Died* (1929), la novela en que Lawrence humanizaba la resurrección de Jesús: "sólo Lawrence en su historia de un Cristo despojado de todo atributo divino, vuelto a la tierra para vivir como hombre y renacer a través del sexo, libre de la pesada carga mesiánica que el misticismo de sus contemporáneos echó sobre sus hombros, trabaja con tal economía de elementos".[12]

La espera de K. a las puertas del Castillo, aguardando por ser reconocido como nuevo agrimensor de la aldea, es similar, según Casey, a la espera de los amantes: "¿no hay mujeres que pasan su vida esperando a un amante que nunca se casará con ellas? ¿No hemos amado alguna vez a alguien que apenas se percata de nuestra presencia?"[13] Casey admite la religiosidad de Kafka, expuesta en las angustiosas situaciones de *El proceso*, *La colonia penal* o *La metamorfosis*, pero insiste en interpretar la obra kafkiana como una protesta contra el concepto judeo-

[11] Roberto Fandiño, "Pasión y muerte de Calvert Casey", *Revista Hispano Cubana*, núm. 5 (1999), pp. 33-44; Ernesto Hernández Busto, "Una isla de memoria", en Carlos Espinosa Domínguez (ed.), *Todos los libros, el libro*, Los Libros de las Cuatro Estaciones, Farmville, Virginia, 2004, pp. 93-97.

[12] Calvert Casey, *op. cit.*, p. 253.

[13] *Ibid.*, p. 255.

cristiano de la culpa.[14] Esa rebelión, según Casey, se consuma en la novela *América,* desenlace de la autoría y la poética de Kafka, donde el protagonista, Karl Rossman, encuentra la redención, no en Nueva York, la urbe moderna, sino en el Gran Teatro Natural de Oklahoma.[15]

La centralidad del sexo en la imaginación literaria de Casey se constata en los ensayos sobre Lawrence y Miller. Cuando Mario Merlino realizó la edición actualizada de aquellos ensayos, en 1997, Antón Arrufat le advirtió que la versión original de "Notas sobre pornografía", aparecida en un número de la revista *Ciclón,* en enero de 1956, había sido mutilada en la que incluyó el volumen *Memorias de una isla* (1964), publicado en Ediciones R luego del triunfo de la Revolución.[16] Los pasajes en los que había una defensa clara de la homosexualidad, en un texto dedicado, precisamente, a glosar las ideas de Lawrence sobre pornografía y obscenidad, habían sido expurgados. Merlino asegura que se trató de un caso de "autocensura", no de censura, pero su explicación carece de pruebas concluyentes.

En aquella nota Casey aludía a una "lucha de veinte años de Lawrence contra los grises, responsables de la incautación de ediciones completas de algunas de sus obras, los atacados de la enfermedad gris que se manifiesta en el odio a todo lo sexual, los rezagados del puritanismo victoriano del siglo XIX, siglo pacato y eunuco".[17] Casey tenía en mente, desde luego, el caso de *El amante de Lady Chatterley,* la novela escrita por Lawrence en 1928, que, luego de treinta años de censura, fue publicada por Penguin Books en 1960. Como es sabido, esta editorial fue procesada por la Ley de Publicaciones Obscenas, pero resultó absuelta en un sonado juicio que Casey siguió desde La Habana revolucionaria.

Aunque Casey sabía que la sexualidad descrita en esa y

[14] *Ibid.,* p. 256.
[15] *Ibid.,* p. 257.
[16] *Ibid.,* p. 264.
[17] *Ibid.,* pp. 264-265.

otras novelas de Lawrence, como *Sons and lovers* (1913), era, fundamentalmente, heterosexual, los amores del autor de *La serpiente emplumada* (1926) con el granjero William Henry Hocking no le eran desconocidos. De ahí que uno de los pasajes de su nota, luego censurado en la edición revolucionaria, se refiera a que Lawrence, "autor de mil himnos entusiastas a la unión de los dos sexos, prefería la relación homosexual".[18] Otro fragmento censurado en la publicación de 1964, aludía directamente a un síntoma característico de las culturas machistas y homófobas: la celebración de la pornografía lésbica y el rechazo de la pornografía gay:

> Que los valores sociales relativos penetren y dominen lo pornográfico, como hemos observado en una función cinematográfica en la que el público que aplaudía entusiasmado el acto sexual entre individuos del sexo femenino mostraba profunda antipatía o ruidosa sorna ante cualquier indicio de homosexualidad masculina, es un hecho profundamente curioso y desconcertante, pero que no debe extrañar. Las prohibiciones sociales tienen largos brazos y se dejan sentir en las situaciones más distintas.[19]

Casey admiraba la centralidad de lo sexual en la narrativa de Lawrence o de Miller, como apuestas por una poética telúrica, en la que el hombre moderno era representado de manera transparente y radical, sin los tapujos de la moral burguesa y católica. Para Casey, la sexualidad incestuosa entre el joven Paul Morel y su madre, en *Hijos y amantes,* era parte de la captación de los problemas sociales de las comunidades mineras del condado de Nothinghamshire. Tanto en Lawrence como en Miller, Casey observaba un tratamiento de lo sexual que tenía que ver con la emancipación telúrica del sujeto moderno. Por eso, en su ensayo "Miller o la libertad", rechaza cualquier asociación de *Trópico de cáncer, Coloso de Marusi* o *Primavera negra*

---

[18] *Ibid.*, p. 265.
[19] *Ibid.*, p. 269.

HERIDO POR LA LUZ

con una literatura "evasiva", según el ideologema hegemónico del realismo socialista.[20]

En el texto sobre Miller, escrito en 1959, Casey lamentaba que el autor de *Trópico de cáncer* (1934) se leyera poco en la Cuba revolucionaria. Al igual que *El amante de Lady Chatterley*, esa novela de Miller, editada por una pequeña editorial francesa, había sido censurada durante tres décadas en Gran Bretaña y los Estados Unidos. Defendida por Samuel Beckett y venerada por los escritores de la *beat generation* (Kerouac, Burroughs, Kesey…), con los que Casey tenía más de una conexión, ni *Trópico de cáncer*, ni las novelas de Lawrence que más le interesaban, fueron publicadas en La Habana. Casey, sin embargo, logró publicar tres traducciones breves de Miller, bajo el título "La pesadilla con aire acondicionado" en el número 55 de *Lunes de Revolución* (18 abril de 1960) dedicado a la literatura estadunidense.[21]

La mayoría de los relatos que Casey escribió en aquella Habana de los últimos años de la República y los primeros de la Revolución otorgaron al sexo un rol protagónico. En "Adiós y gracias por todo", un cuento que recuerda al Cortázar de *Las armas secretas* (1959), el narrador inventa a la amada, Marta, una joven que obsesivamente acude a una biblioteca en busca de un tratado sobre patologías sexuales.[22] En "El Paseo" se recrea el ritual de iniciación erótica del joven que visita prostíbulos en compañía del tío, el amigo o el padre.[23] En "El Amorcito" se cuentan las intersecciones entre el hambre y el sexo en los barrios populares de La Habana y en "La dicha" asistimos a una enigmática exploración sobre el ascetismo y la tristeza como estados de la sexualidad.[24]

La representación del amor homosexual en la narrativa de

[20] *Ibid.*, p. 259.

[21] William Luis, *Lunes de Revolución. Literatura y cultura en los primeros años de la Revolución cubana*, Verbum, Madrid, 2003, pp. 84-85.

[22] Calvert Casey, *Notas de un simulador, op. cit.*, pp. 33-43.

[23] *Ibid.*, pp. 44-57.

[24] *Ibid.*, pp. 58-79.

Casey avanza hacia una plasmación transparente si se releen *El regreso* (1962) y "Piazza Morgana" (1969), el capítulo de la novela, *Gianni, Gianni,* ofrenda literaria a su amante Giovanni Losito. En el primer relato, el intelectual exiliado en Nueva York, rodeado de libros sobre yoga y socialismo, pornografía y psicoanálisis, antropología e hinduismo, ama a Alejandro, un joven "deliciosamente ignorante, maravillosamente contento y apacible en su ignorancia".[25] La erótica homosexual aparecía ligada a la vergüenza del letrado y a la añoranza de una autenticidad perdida. Cuando conoce a Alejandro, el escritor exiliado siente que "todo un pasado de lecturas lo avergüenza profundamente" y quiere ser como ese otro, "tan centrado, tan seguro, tan inconmovible y sin problemas".[26] La homosexualidad de *El regreso* no es necesariamente platónica, pero sí queda circunscrita al cortejo:

> Desde el fondo tranquilo de sus ojos, Alejandro lo miraba a veces con curiosidad, preguntándose quién sería este extraño ser que le colmaba de regalos y le rehuía, que le escribía cartas muy raras y no exentas de cierta melancólica elegancia literaria, y le hablaba de la premonición y la intuición, asegurándole que lo sentía a través de la distancia.[27]

Aquel deseo de ser otro, en *El regreso*, estaba relacionado con un malestar en la condición del intelectual y el exiliado, muy difundido entre los escritores cubanos de la década de 1950. La Revolución se les presentó a aquellos narradores, poetas y dramaturgos como la posibilidad histórica de transgredir, junto con las normas machistas y homofóbicas de la moral burguesa y católica, los límites entre la cultura letrada y la cultura popular. Muy pronto, sin embargo, Casey y otros escritores homosexuales de su generación comprenderían que las versiones más ortodoxas de la ideología revolucionaria, lejos de

[25] *Ibid.,* p. 82.
[26] *Idem.*
[27] *Ibid.,* pp. 82-83.

atemperar el machismo y la homofobia, los recodificaban como valores afirmativos de la nueva moral socialista. A medida que avanzaba ese proceso de traducción y remolde autoritario, la obra y la vida de Casey se afirmaban, con mayor firmeza, en su condición literaria, exiliada y homosexual.

Habría que recordar la fascinación que ejerció el fenómeno revolucionario en escritores como Virgilio Piñera, Antón Arrufat o el propio Casey para llegar a aquilatar la frustración de este último. Para estos intelectuales de vanguardia, la Revolución representaba el fin de un orden patriarcal, que había estigmatizado la homosexualidad y las estéticas más arriesgadas. En algunos textos de Casey, publicados en *Lunes de Revolución* entre 1959 y 1960, como "El momento", el ensayo "Carrión o la desnudez" y, sobre todo, el magnífico relato "El centinela en el Cristo", se transmitía la idea de que, más que de una Revolución, se trataba de una regeneración. En ese último relato, el retrato físico y moral del soldado campesino cubano, que cuidaba los alrededores de la Cabaña, el cuartel del *Che* Guevara en La Habana, era equivalente al de un andrógino angelical. Un hombre nuevo que era, a la vez, un Cristo y un Adonis: "mitad criatura de los riscos, mitad apóstol justiciero y juguetón…, de pómulos altos, de melena negrísima, atada fuertemente a la nuca con peinetas de carey, con absoluto desprecio por los atributos convencionales de su sexo".[28]

Diez años después, en los primeros párrafos de "Piazza Morgana" (1969), traducidos del inglés por Vicente Molina Foix, aquella idealización homoerótica de la criatura revolucionaria ha dado paso a una homosexualidad que se entiende como radical contacto intersubjetivo.[29] El narrador observa a su amado cuando se afeita e imagina que, a través de un rasguño en la barbilla, puede probar su sangre y penetrar su cuerpo, muriendo y renaciendo en su interior. Casey idea, entonces, una cópula

[28] Calvert Casey, *Cuentos (casi) completos*, Conaculta, México, 2009, p. 287.
[29] El estudioso cubano Víctor Fowler ha tratado el asunto en su libro *La maldición. Una historia del placer como conquista*, Letras Cubanas, La Habana, 1998, pp. 128-140.

que es, a la vez, una muerte y una fusión con el otro, en la que
el acto transgresor de la homosexualidad se entrelaza con un
gesto libérrimo, igualmente reprobado por el machismo católico o marxista: el suicidio. La desaparición en el otro, dice, es
una acción voluntaria, en la que su "libertad de elección y resi-
dencia no tiene límites".[30] Integrarse al cuerpo del amado, pre-
servando su subjetividad, es, según Casey, un viaje sin retorno,
un regreso definitivo:

> Ya he entrado en tu corriente sanguínea. He rebasado la orina, el
> excremento, con su sabor dulce y acre, y al fin me he perdido en
> los cálidos huecos de tu cuerpo. He venido a quedarme. Nunca
> me marcharé. Desde este puesto de observación, donde final-
> mente he logrado la dicha suprema, veo el mundo a través de
> tus ojos, oigo por tus oídos los sonidos más aterradores y los
> más deliciosos, saboreo todos los sabores con tu lengua, tanteo
> todas las formas con tus manos. ¿Qué otra cosa podría desear un
> hombre?[31]

Más adelante, Casey relaciona su proeza amatoria con una
política redentora:

> He conseguido lo que todo sistema político o social siempre ha
> soñado, en vano, conseguir: soy libre, completamente libre den-
> tro de ti, por siempre libre de todas las cargas y temores ¡Ningún
> permiso de salida, ningún permiso de entrada, ningún pasapor-
> te, ninguna frontera, visado, carta de identidad, nada de nada![32]

La alegoría del suicidio, como acto de voluntad personal,
emerge, en este texto final e inconcluso de Casey, desde una celebración del amor homosexual en tanto vivencia bajo la piel
del otro. El narrador insiste siempre en que dentro del cuerpo del amado se abandona toda ansiedad y toda prisa, ya que "el

[30] Calvert Casey, *Notas de un simulador, op. cit.,* p. 238.
[31] *Ibid.,* p. 236.
[32] *Ibid.,* p. 238.

tiempo ha sido obliterado".[33] La victoria sobre el tiempo, como imagen de la libertad del sujeto, difícilmente puede desligarse de la muerte a mano propia. Casey buscaba una emancipación del mundo predominantemente machista y homófobo, que lo rodeó en La Habana revolucionaria y en la Roma católica, y creyó hallarla en esa migración de la subjetividad que implicaba el suicidio. Su muerte fue, en buena medida, un acto de amor a la humanidad del otro, como diría Lévinas, en el que la desaparición de sí es imaginada como pervivencia en el cuerpo del amado.

El tiempo del otro

Cuando Calvert Casey se suicidó en Roma, el 16 de mayo de 1969, con una sobredosis de somníferos, su literatura había acumulado buena cantidad de representaciones eróticas de la muerte. "El regreso", por ejemplo, es narrado por un muerto, quien luego de ser interrogado y torturado por la policía de Batista, termina en un "afilado arrecife", donde el "cangrejerío hunde las tenazas en los ojos miopes y luego entre los labios delicados".[34] En "In Partenza", la cocinera Ángela consulta a los muertos antes del viaje del protagonista y en "La ejecución", un cuento que recuerda a Capote, el narrador es nuevamente un muerto, Mayer, quien relata su arresto antes de que el "tornillo mayor le fracturara la segunda vértebra cervical desgarrándole la médula".[35] Mayer describe la muerte como un regreso al útero materno: "tuvo la sensación de hallarse, como una criatura pequeña e indefensa, en el vientre seguro, inmenso y fecundo de la iniquidad, perfectamente protegido —¡para siempre, se dijo, para siempre!— de todas las iniquidades posibles".[36]

[33] *Idem.*
[34] *Ibid.*, p. 97.
[35] *Ibid.*, pp. 113 y 156.
[36] *Ibid.*, p. 156.

Los cementerios aparecen en la prosa de Calvert Casey como comunidades armoniosas y felices o como ciudades abiertas al mundo de los vivos. En esos sitios floreados y luminosos, los muertos viven bajo un tiempo obliterado que él imagina después del suicidio. En el relato "En el Potosí", un personaje se dedica a limpiar las tumbas del cementerio chino, el de Guanabacoa y el de Colón, bajo el sol habanero. Otro personaje de Casey, en la noveleta *Notas de un simulador* (1969), observa detenidamente a los enfermos agonizantes con el fin de captar con la mayor precisión posible el momento de la muerte. Con la llama tenue de una bujía, colocada muy cerca de los labios del enfermo, el personaje trata de ser testigo de ese instante en que se agota la vida de un ser humano. En su descripción, Casey alude siempre a la muerte, no como un fin, sino como un tránsito:

> Mientras la vida persista, la sensible llama, a la que tanta exactitud debo agradecer, mi más delicado instrumento de precisión, se dobla ligeramente sobre sí misma, para volver a brillar erecta, cuando ya no sopla sobre ella el menor aliento. Ella permite determinar el momento de tránsito, el más elusivo, que sigue al último y más preciado de todos, vigilar su avance, sus paradas, la reanudación del avance. A su luz es posible observar el rostro que revela detalles sutilísimos: el temblor de los párpados, el hundimiento de la piel dentro de las sienes, el aguzamiento gradual de los pómulos, el desplome de las mejillas, el oscurecimiento inexplicable de las fosas nasales, que se han agrandado, y luego, traspuesto el instante, el empequeñecimiento general de las facciones.[37]

En otro cuento extraordinario, "Mi tía Leocadia, el amor y el paleolítico inferior", el narrador toma un café con leche en la cafetería del Ten Cent de La Habana y piensa en el crecimiento demográfico de los muertos. El pensamiento se dilata tanto en

[37] *Ibid.*, p. 191.

la mente del personaje que lo hace ir a las bibliotecas de la ciudad en busca de datos sobre las muertes ocurridas en La Habana en ciertos días del pasado de la isla como el 4 de mayo de 1894 o el 28 de agosto de 1903. Cuando habla de los muertos, la prosa de Casey alcanza una fluidez y un ingenio que no parecen provenir de la imaginación modernista o gótica, que tanto predominaban en la literatura hispanoamericana de mediados del siglo XX, sino de otra fuente, entrañable para un escritor nacido en Baltimore y tan familiarizado con la nueva narrativa de los Estados Unidos: Mark Twain. Veamos cómo planteaba Casey su visión de una comunidad de los muertos:

> Pensé que siempre habrá más muertos que vivos, que la suma de los que han muerto siempre será enormemente mayor que la suma de los que en un momento dado viven sobre la tierra, y que el número de muertos se agiganta constantemente, y releí con la mente la necrología del periódico de la mañana y comprendí esa especie de satisfacción que siempre siento al leerla, satisfacción de matemático que ve sus cálculos confirmados con cada día que pasa. Pensé que vivimos rodeados de muertos, sobre los muertos, que en número inmenso nos esperan tranquilos en los cementerios del mundo, en el fondo del mar, en las capas innúmeras de la tierra que nunca volverán a ver el sol, y que posiblemente, sin que nos percatemos de ello, hay cenizas suyas en el cemento con que levantamos nuestras casas o en la taza que llevamos a la boca cada mañana; cenizas de rostros y de ojos y de manos, que permanecen junto a nosotros todo el tiempo que duran nuestras vidas y que nos rodean y están junto a nosotros y debajo de nosotros y encima de nosotros.[38]

La idea aparece, casi literalmente, en el ensayo "El privilegio de la tumba", que Mark Twain escribió con el fin de criticar el mito de la libertad de expresión en las sociedades modernas. Según Twain, bajo cualquier democracia no existe un solo ciu-

---

[38] *Ibid.*, p. 162.

dadano completamente libre en su expresión, ya que la religión y la moral imponen límites infranqueables. Los verdaderos libres, decía el creador de Huckleberry Finn y Tom Sawyer, son los muertos, que no sólo son siempre más que los vivos sino que carecen de las inhibiciones que asegura el Estado. "La libertad de expresión —decía Twain— es el privilegio de los muertos, el monopolio de los muertos. Pueden expresar sus ideas con honestidad sin ofender. Somos compasivos con lo que manifiestan los muertos. Quizás no estamos de acuerdo, pero no los insultamos, no los injuriamos, puesto que sabemos que ya no pueden defenderse."[39]

A la muerte y también al suicidio o la inmolación heroica está dedicado el todavía suscitante ensayo sobre José Martí de Calvert Casey. El autor de "Piazza Morgana" encontraba en la literatura y el pensamiento de Martí un "deseo de vida" y un "deseo de muerte", expresados con la misma intensidad.[40] El principal argumento de Casey era que esa duplicidad no era contradictoria, ya que Martí no pensaba la muerte como "mal" o "término" de la vida. ¿Cuál era el origen intelectual de esa percepción de la muerte? Casey no cree que sea el cristianismo —"rara vez habla de Dios y detesta la religión organizada"—, pero tampoco piensa que la idea martiana de la muerte como tránsito, no como fin, sea asimilable al existencialismo o al marxismo comprometidos.[41] "Su actitud —dice— desmiente todo el pensamiento moderno de que el supremo mal es la muerte, viniendo como viene de uno de los más grandes comprometidos del siglo XIX, capaz de un grado de compromiso que haría palidecer de envidia al más *engagé* de los héroes sartrianos."[42]

Casey encuentra el origen de esa familiaridad de Martí con la muerte en Poe, Whitman, Emerson y el trascendentalismo filosófico estadunidense. De esa tradición, y no del "viejo cul-

---

[39] Mark Twain, "El privilegio de la tumba", *SP. Revista de Libros,* núm. 16 (julio de 2009), p. 6.

[40] Calvert Casey, *Notas de un simulador, op. cit.,* 1997, p. 247.

[41] *Ibid.,* pp. 248-249.

[42] *Ibid.,* p. 249.

to hispánico de la muerte", mezclada con el patriotismo republicano, proviene no sólo la idea martiana de la muerte como tránsito sino una "morbosidad", que a Casey le resultaba familiar. Martí, dice, "soba la muerte, la hace suya mediante una proeza poética morbosa", como se observa en su descripción del cadáver de Flor Crombet —"su bella cabeza fría y su labio roto"— o en el pasaje sobre la ejecución del cuatrero Masabó: "sin que al hombre se le caigan los ojos, ni en la caja del cuerpo se vea miedo: los pantalones, anchos y ligeros, le vuelan sin cesar, como un viento rápido".[43]

Cuando Casey habla de ese "morbo", en Martí, o de "fugas, tendencias suicidas, autodestrucción, duplicidad del ego u odio a sí mismo", es posible identificar una relación literaria con el héroe, desprovista de idolatrías o reverencias, muy similar a la de Virgilio Piñera o Antón Arrufat, con quienes compartió una visión moderna y plural de la literatura cubana del siglo XIX. Las ideas centrales de su importante ensayo "Hacia una comprensión del siglo XIX" aparecen también en varias prosas sobre el tema de Piñera y Arrufat.[44] Hay en la ensayística de estos tres autores, sobre el romanticismo, el modernismo y el naturalismo cubanos, de aquella centuria, una concepción secular y heterogénea del devenir nacional que todavía se echa en falta en la historiografía y la crítica canónicas de la isla.

Dos amigos de Casey, también exiliados en Europa hacia la primavera de 1969, Guillermo Cabrera Infante y Nivaria Tejera, trataron de explicarse el suicidio de aquel habanero en Roma.[45] Ambos, deliberadamente, rechazaban la noticia del suicidio y pensaban en un asesinato múltiple (el autoritarismo, La Habana, Roma, el exilio, la homofobia, el amante...), como en algunas novelas policiacas. Tal vez el propio Casey dejara una clave para la comprensión de su suicidio en el enigmático

[43] Ibid., p. 251.
[44] Ibid., p. 11.
[45] Guillermo Cabrera Infante, Mea Cuba, Vuelta, México, 1993, pp. 163-194; Nivaria Tejera, Espero la noche para soñarte, Revolución, Ediciones Universal, Miami, 2002, pp. 126-127.

poema, aparecido en *La Gaceta de Cuba,* en 1965, titulado "A un viandante". El poema está fechado el 18 de septiembre del año 2778, como si Casey, desde el futuro, intentara comunicarse con un vendedor ambulante habanero o italiano de 1965.

El viandante llama a teléfonos que no responden, a puertas "que conducen a la nada", y busca, sin fortuna, ojos y cuerpos con la "pupila del obseso".[46] Casey describe al vendedor como un muerto en vida: "sales de las tinieblas para perderte en las tinieblas./Pasas junto a las murallas resecas sin proyectar sombra".[47] Pero en los versos finales, Casey imagina un encuentro del vendedor con el comprador, él mismo, como si se tratara del enlace de dos amantes en la muerte: "Donde quiera que estés llegan tus pasos hasta mí./Cada noche nace la esperanza y cada noche la entierras./El arco se romperá contigo./Busca, busca el amor sobre los arrecifes, junto a los muros ásperos./Desde lo oscuro verás cerrarse la puerta./Tu último paso será tu último gesto./Si encuentras a quien buscas y te detienes, rodarás muerto a sus pies".[48]

Ese morir a los pies del otro, como las ofrendas republicanas de los antiguos estoicos, no es contradictorio con el morir dentro del otro, sugerido en "Piazza Morgana". En ambos casos, se trata de nociones trascendentales de la muerte en las que la pervivencia del sujeto es entendida como un don, de acuerdo con la reformulación de este concepto que hiciera Jacques Derrida.[49] En el poema "A un viandante" ambos sujetos, el del vendedor y el del comprador, sobreviven en el futuro por medio de un trueque amoroso. El intercambio, localizado fuera del tiempo vital, permitiría explorar a plenitud aquella "herida de la luz" como búsqueda de la vida más allá de la vida, como un *ars moriendi,* similar al descrito por María Zambrano para Séneca y que reaparece en otros suicidas modernos, como Walter Benjamin o Stefan Zweig.

[46] *Ibid.,* p. 159.
[47] *Idem.*
[48] *Idem.*
[49] Jacques Derrida, *Dar el tiempo,* Paidós, Barcelona, 1995, pp. 11-41.

Si en el desencuentro del pasado (1965) los amantes son muertos en vida, en el encuentro del futuro (2778) serán vivos en la muerte. La idea del suicidio que podría derivarse de la hermenéutica de este y otros textos de Casey apunta, como decíamos, a una inmersión en la sangre del otro, pero, también, a una entrada en el tiempo del otro. Pero ese "dar el tiempo" no sería semejante al propuesto por Derrida sino a la "salida del ser por otra vía", de que hablaba Jacques Rolland a propósito de la filosofía del sujeto de Emmanuel Lévinas.[50] El suicidio por amor, en tanto acto de la libre voluntad, sería entonces la búsqueda y el hallazgo de otro tiempo, donde parece posible la transmutación de la muerte en el sexo.

En su reciente ensayo, *Diseminaciones de Calvert Casey* (2012), la joven poeta y narradora cubana Jamila Medina Ríos confirma esta tesis al hablar del "eros" en Casey como "rebelión del cuerpo" contra la muerte e, incluso, como una "productividad" escrita y oral asociada al placer del "diálogo entre vida y muerte".[51] Medina Ríos habla también de un "eros como puerta a lo absoluto", tal vez menos defendible por el sentido teológico y metafísico del concepto, que recuerda, a su vez, la lectura de María Zambrano anotada al inicio de este ensayo, pero que vuelve a colocar la interpretación de los textos de Calvert Casey en ese cruce profano entre escritura y sacrificio, tan distintivo de las vanguardias culturales del siglo XX.

---

[50] Emmanuel Lévinas, *De la evasión*, Arena Libros, Madrid, 1999, pp. 9-71.
[51] Jamila Medina Ríos, *Diseminaciones de Calvert Casey,* Unión, La Habana, 2012, pp. 91-122.

III. Mariposeo sarduyano

EN SU introducción a la edición crítica de la *Obra completa* (1999) de Severo Sarduy, publicada por la Colección Archivos del Fondo de Cultura Económica y la Unesco, Gustavo Guerrero rescataba el pasaje de una conversación, en 1967, entre Tomás Segovia, Emir Rodríguez Monegal y Severo Sarduy en la que este último da su opinión sobre Rubén Darío. Afirmaba entonces Sarduy que Darío, "después de haberse paseado por toda la cultura francesa, reenviaba el español a su esencia".[1] Según Sarduy, cuando Darío, después de haberse familiarizado con la cultura francesa, relee el *Quijote* de Cervantes o el *Cantar del Mío Cid* y reescribe *Las moradas* de Santa Teresa de Jesús, "por un movimiento de *boomerang* curiosísimo, resitúa el idioma en el espacio fundamental de su creación".[2]

El comentario sobre Darío es leído por Guerrero como una declaración personal, en la que Sarduy expone su propio proyecto literario. Tomar distancia de su país y de su entorno latinoamericano, por medio de la inmersión en otros ámbitos, formaba parte del método de aproximación a lo propio inaugurado por los modernistas. El modernismo, que Sarduy interpretaba en la clave paciana de *Los hijos del limo,* no sólo era el equivalente hispanoamericano del romanticismo europeo —con todo el sentido fundacional de las poéticas literarias que implicaba aquella equivalencia— sino la mayor plataforma referencial de las vanguardias de la década de 1970, en las que

---

[1] Severo Sarduy, *Obra completa,* t. I, FCE / ALLCA XX / Unesco, Madrid, 1999, p. XIX.

[2] *Idem.*

intentaba colocarse el autor de *De donde son los cantantes*. Guerrero resume así la gravitación de Darío sobre el proyecto de Sarduy:

> Dejar Cuba, instalarse en Francia, estudiar la escultura romana y la semántica estructural, participar en algunas de las principales aventuras intelectuales de su tiempo, viajar a Oriente y recorrer la India, releer con fervor a Góngora, a san Juan de la Cruz y a Cervantes, apasionarse por el Big Bang y escuchar el rumor de los molinos de la plegaria, estos y otros muchos actos que signan su vida y su obra parecen inscribirse, desde un comienzo, en el paradójico plan que él descubre en Darío. Fiel a su modelo, Sarduy se aleja para estar más cerca, busca en los márgenes para encontrar el centro y, una vez allí, dice la verdad del artificio.[3]

No deja de ser curioso que más de medio siglo después de su muerte, la referencia de Darío siga siendo tan sólida entre las vanguardias literarias hispanoamericanas. Entre la muerte de Darío, en 1916, y el mayo francés de 1968, en torno al cual se configura buena parte de la poética de Sarduy, han sucedido las vanguardias de la década de 1920, Neruda y Vallejo, Borges y Reyes, Lezama y Paz. La razón de ese arraigo referencial de Darío, según Guerrero, no sólo tenía que ver con su marca sobre el castellano escrito en Hispanoamérica sino con el tipo de exiliado que fue Sarduy. Este último, apunta con razón Guerrero, fue un "hijo del limo hispanoamericano", que aprendió a "distinguir entre geografía y nación" y que "siempre vio a Cuba más allá de Cuba, como una isla que se reproduce en las más distintas latitudes".[4] Como Casal, Sarduy era capaz de ver caer nieve en La Habana e imaginar sus campos como plantaciones de té.

Hay en esos apuntes de Guerrero una valiosa intuición que permitiría asociar el exilio de escritores vanguardistas de la década de 1960, como Severo Sarduy, Nivaria Tejera, Calvert

[3] *Idem.*
[4] *Idem.*

Casey o Guillermo Cabrera Infante, con el viaje modernista de fines del xix. Como sus antepasados decimonónicos, los escritores del *boom* latinoamericano también fueron viajeros, aunque para muchos de ellos el viaje constituyera un exilio de las dictaduras de derecha que se propagaron en la región entre las décadas de 1950 y 1970. Los escritores cubanos, al igual que sus contemporáneos latinoamericanos, también fueron exiliados, pero de una dictadura de izquierda, entonces llamada Revolución cubana, y percibida, naturalmente, como alternativa de aquellos autoritarismos de la Guerra Fría, respaldados por los Estados Unidos.

La instalación de la Revolución cubana como referente de las izquierdas occidentales en la década de 1960 y sus múltiples conexiones con las vanguardias literarias y artísticas generaban una comprensible extrañeza en torno a la localización ideológica y estética de aquellos vanguardistas exiliados. Severo Sarduy enfrentó esa extrañeza por medio de una inserción en el universo filosófico de las letras parisinas, que le permitió, a su vez, una reubicación en la literatura latinoamericana que no pasaba, como en el caso de la mayoría de los escritores cubanos de su generación, por el respaldo del Estado insular. A diferencia de Cabrera Infante, que sí alcanzó a ser un escritor "revolucionario", Sarduy salió muy joven de Cuba y su reconocimiento en América Latina provino, fundamentalmente, de aquella conexión francesa.

Sin embargo, Sarduy, desde el exilio, debió establecer una relación estética con el fenómeno revolucionario. El ambiente parisino en el que se movió el escritor camagüeyano, ligado a las revistas *Mundo Nuevo* y *Tel Quel,* demandaban esa complejísima operación intelectual, por la cual un escritor crítico del socialismo cubano construía una poética literaria desde los referentes de la izquierda y la vanguardia francesas. La procedencia de Sarduy del círculo de *Ciclón* y, en menor medida, de *Lunes de Revolución,* pudo haberle facilitado la tarea, pero, aun así, aquella construcción paralela de una estética vanguardista y una política exiliada debió ser sumamente conflictiva.

De Ciclón a Tel Quel

En algunos textos autobiográficos, Severo Sarduy se refirió al giro radical que dio su vida, entre 1956 y 1960 (traslado de Camagüey a La Habana y de La Habana a París) como un viaje entre *Ciclón* y *Tel Quel*. La primera fue la revista en la que Sarduy publicó algunos de sus primeros poemas y la segunda, el círculo intelectual parisino donde produciría sus cuatro novelas iniciales: *Gestos* (1964), *De donde son los cantantes* (1967), *Cobra* (1972) y *Maitreya* (1978), más dos de sus importantes ensayos: *Escrito sobre un cuerpo* (1968) y *Barroco* (1974). "Llegaron, como los tiempos de *Ciclón*, los tiempos de *Tel Quel*", escribió Sarduy, aludiendo a ciclos temporales, determinantes de su vida y su obra, asociados a dos revistas.[5]

Gracias a las pesquisas de la estudiosa Cira Romero, sabemos que los primeros textos publicados por Sarduy, en Cuba, aparecieron en el periódico *El Camagüeyano*, editado en la capital de una de las provincias orientales de la isla, donde nació y vivió el escritor hasta su juventud. Bajo el influjo de su amiga y mentora, la poeta camagüeyana Clara Niggemann, algunas de las primeras composiciones poéticas de Sarduy eran piezas líricas breves, autodenominadas "baladas krishnamurtianas", que articulaban, en primera o segunda persona, la búsqueda de un diálogo íntimo con el otro.[6] Tan reveladora de aquella temprana búsqueda de una dislocación territorial era la apelación al teósofo hindú, Jiddu Krishnamurti (1895-1986), como la mezcla de mesianismo y orientalismo que, desde entonces, acusaba la poética de Sarduy.

En uno de aquellos poemas de adolescencia, el titulado "Tres", se leían estos versos: "Cielo, / Abandonado al último acento, / Al último silencio, / Detrás, / Tierra, / Metido en la tierra y formando parte de ella, / Fósil, Esperando un mensaje, un

---

[5] *Ibid.*, p. 13.
[6] Cira Romero (ed.), *Severo Sarduy en Cuba. 1953-1961,* Oriente, Santiago de Cuba, 2007, pp. 19-41.

mesías,/Un Cristo con doce discípulos…"[7] A diferencia de otros escritores de su generación, Sarduy no parecía compartir entonces el horizonte de las vanguardias y el misticismo de su poesía temprana era algo ajeno al universo literario de Virgilio Piñera, José Rodríguez Feo y *Ciclón*. Sin embargo, al igual que éstos y buena parte del campo intelectual prerrevolucionario, experimentaba una ansiedad de mitos históricos que, en enero de 1959, justificaría su entusiasmo por la caída de la dictadura de Fulgencio Batista.[8]

Un poema de 1955, publicado en *El Camagüeyano* y titulado "A la memoria de Ignacio Agramonte", capta muy bien esa generalizada contraposición entre la gloria del pasado libertario de la isla y el presente batistiano. Así como muchos de sus contemporáneos contraponían la figura heroica de José Martí al autoritarismo del dictador, Fulgencio Batista, Sarduy invocaba la memoria del mártir anticolonial camagüeyano: "El tiempo enterró tu anhelo,/y a la patria ahora toca/ceñir de laurel la poca/vergüenza que hay en tu suelo".[9] El primer 28 de enero, día del natalicio de José Martí, luego del triunfo de la Revolución, Sarduy publicó un artículo en la página *Nueva Generación*, del periódico *Revolución*, titulado "En su centro", que defendía el momento revolucionario como una coyuntura propicia para releer a Martí, eludiendo las apropiaciones del héroe producidas durante el periodo republicano.

Sin embargo, al considerar al Martí "poeta" como una "realización aún mayor" que la del Martí "hombre" y al admitir que lo "martiano" se había convertido en una subcultura demagógica y de mal gusto, por obra de la legitimación política, Sarduy se colocaba en una perspectiva cercana a Virgilio Piñera, Antón Arrufat, Calvert Casey y otros escritores de *Ciclón*, quienes hicieron lecturas críticas o no reverenciales del legado martiano. El inicio

---

[7] *Ibid.*, p. 19.
[8] Sobre la "ansiedad del mito" en el campo intelectual republicano, véase Rafael Rojas, *Tumbas sin sosiego. Revolución, disidencia y exilio del intelectual cubano*, Anagrama, Barcelona, 2006, pp. 51-68.
[9] Cira Romero, *op. cit.*, p. 42.

de aquel texto de Sarduy recuerda un poco el tono de la nota de Virgilio Piñera sobre la novela *Amistad funesta* de Martí, en la que "lo martiano" aparece asociado a la cursilería burguesa de la República, no sólo por los usos legitimantes del "apóstol", sino por algunas dimensiones estéticas de la escritura de este último:

> No abandone tan pronto, señor lector, la lectura de este artículo cuando le advierta que voy a hablar de Martí. No mueva las manos nerviosamente. Yo lo comprendo: también he padecido por interminables las arengas de los políticos. Las clases de los profesores de Historia de segunda mano, la columna del articulista de moda, los juegos florales, los horribles niños memorizadores de pensamientos y versos sencillos... Todo esto para convertir en monstruosa la figura de Martí.[10]

Como varios de sus contemporáneos, Sarduy perteneció al círculo intelectual que se desplazó de *Ciclón* a *Lunes de Revolución*. Pero a diferencia de la mayoría de ellos no compartió una visión tan peyorativa de *Orígenes* y de las poéticas católicas que promovieron los proyectos editoriales de José Lezama Lima. Los poemas que Sarduy publicó en *Ciclón* se mantuvieron dentro de aquel repertorio íntimo, que él llamaba "krishnamurtiano", con un curioso acento religioso que raras veces aparecía en los poetas laicos o ateos de *Ciclón*. Sólo en "Islas", un poema publicado en *Ciclón,* que la crítica ha relacionado con *La isla en peso* de Piñera, podría encontrarse un acercamiento a la reacción antiorigenista de la vanguardia literaria cubana:

El hombre está solo frente a la luz soñada por Dios.
Los gritos de las bestias del cielo, las extrañas voces de los ángeles,
las aguas de la tierra por él han sido nombradas.
He aquí que él descubre soñado y acepta su señal:
La furia de los ángeles, la nada, el olvido de Dios.[11]

[10] *Ibid.,* p. 135.
[11] *Ibid.,* p. 45.

No es difícil leer, en ese poema, la idea piñeriana del Caribe como una región "furiosa", abandonada por Dios y reencontrada por otros ángeles, placenteros. Otro poema de Sarduy aparecido en *Ciclón*, titulado precisamente "Ángeles", habla del poeta como "proyección" de un ángel y de "otro dios creado".[12] Un poema más, titulado "Historia", igualmente en *Ciclón*, habla de un ángel que "en el cielo se aventura" y "asciende lentamente", hechizado por la luz. Se trata de un ángel con "alas de hierro", que "desanda paso a paso el reino conquistado".[13] Si el joven Sarduy imaginó ese reino como la Historia pudo haber tenido un atisbo del *Angelus Novus*, la imagen de Paul Klee que Walter Benjamin incorporó a su filosofía histórica. Ese ángel arrastrado por la tempestad del progreso que, sin embargo, mira atónitamente el pasado que deja atrás.[14]

Hay en esa fase angélica y krishnamurtiana del primer Sarduy una tensión de religiosidades que habría que ubicar en el choque entre poéticas católicas y laicas que vivió la literatura cubana en los años previos y posteriores al triunfo de la Revolución. Es evidente que Sarduy, a pesar de su proximidad con *Ciclón* y *Lunes de Revolución*, no comulgaba con las voces más ateas y antiorigenistas de estas revistas. En su ya citada "biografía pulverizada" para la revista *Quimera*, Sarduy se arrepentía de haber compartido algo de aquel antilezamismo, que lo llevó a "cometer una nota en un periódico un tanto *objetiva* sobre uno de los libros de Lezama, creo que *La expresión americana*". Y agregaba: "sus devotos de entonces me abominaron. Que Dios me perdone".[15]

En los textos juveniles editados por Cira Romero no aparece nota alguna sobre *La expresión americana* (1957), pero sí una reseña de *Tratados en La Habana* (1958), que Sarduy escribió para *El Mundo Ilustrado,* suplemento literario del periódico

[12] *Ibid.*, p. 47.

[13] *Ibid.*, p. 51.

[14] Walter Benjamin, *La dialéctica en suspenso. Fragmentos sobre la historia,* Arcis, Santiago de Chile, 1995, p. 54.

[15] Severo Sarduy, *op. cit.,* p. 13.

El Mundo. No hay ahí reparos a Lezama, aunque sí una valoración de la literatura de *Orígenes* más favorable a Eliseo Diego que a cualquier otro poeta de aquel grupo. Sarduy habla de la "profundidad de contenido", del "estilo sustancioso", de la "certera investigación de las frases típicas del lenguaje popular cubano" que encuentra en "Verba criolla", uno de los ensayos de aquel libro.[16] Sarduy, sin embargo, termina la nota sobre el libro de Lezama reproduciendo un juicio de éste sobre *Divertimentos* de Eliseo Diego —"su fragancia y pureza han creado una fauna bruñida por el rocío. No conozco, en la historia de la prosa cubana de los últimos veinte años, un libro de tanta claridad hechizada"— que concuerda con la entusiasta lectura que hizo el joven Sarduy del mismo.[17]

La preferencia por esa "claridad hechizada" de Diego fue expresada varias veces por Sarduy en aquellos años. Por ejemplo, en una entrevista que le hiciera Graziella Pogolotti a él y a Roberto Branly, también para *El Mundo Ilustrado,* en 1958, Sarduy rechaza el juicio de Branly sobre que la poesía de los origenistas "carecía de fuerza vital" con esta frase: "no estoy de acuerdo. Lo que dices es cierto en el caso de Lezama. No así en la obra de Fina García Marruz, de Eliseo Diego —el más interesante del grupo en mi opinión—".[18] En un par de entrevistas más, la de Rafael Casalins para *Excelsior* y la de Luis Peraza para *Diario de la Marina,* también de 1958, Sarduy aseguraba que Eliseo Diego era el mejor poeta cubano —aun cuando confesaba no conocerlo: "he llegado a pensar que es una ficción"— y no sin chovinismo decía que el cuaderno *Por los extraños pueblos* "demostraba definitivamente la existencia de una literatura cubana contemporánea superior a toda otra expresión hispanoamericana".[19]

Ya en febrero de 1959, cuando muchos de sus contemporáneos arremetían contra los poetas de *Orígenes* por su literatura

[16] Cira Romero, *op. cit.,* p. 106.
[17] *Ibid.,* p. 107.
[18] *Ibid.,* p. 246.
[19] *Ibid.,* pp. 249 y 254.

ensimismada o poco comprometida con la Revolución, Sarduy admitía públicamente, en *Diario Libre,* aquella fascinación juvenil por Diego. No es difícil encontrar en aquellos juicios una idea de la poética de Diego como un aligeramiento del barroco lezamiano que a Sarduy le parecía corresponderse mejor con el tipo de expresión que demandaba el momento revolucionario. Esa "sencillez" de Diego, no obstante, adquiría su plena significación como lengua de la nación e, incluso, de una religión literaria nacional con la que el joven Sarduy se relacionaba como un feligrés:

> Nos fuera fácil decir que Eliseo Diego es el poeta más genuino y más cubano de su grupo; pero nos limitaremos a aseverar que si exceptuamos, quizás, algunos momentos de la obra de Fina García Marruz, en *Orígenes,* no hay otra preocupación más legítima por lo nacional ni otra poesía más sencilla en su logrado egoísmo vital. Los interiores, los patios provincianos, las calzadas que ilumina la espesa luz de los atardeceres cubanos, y las costumbres de nuestros pequeños pueblos, hallan en la obra de este poeta su más cabal expresión. Su lenguaje, sencillo, directo aun en los momentos más herméticos, llena la vista sedienta de su poesía, manantial renovado de la Belleza.[20]

En esta fase angélica de la literatura de Sarduy vemos un atisbo de catolicismo menor que explicará tanto el interés por Krishnamurti o la admiración por Eliseo Diego como la celebración del fenómeno revolucionario, en Cuba, como portador de una nueva religión política. Sarduy comparte con otros escritores de su generación, como Calvert Casey, esa mezcla de laicismo y religiosidad que caracteriza a la ideología revolucionaria. El relato de Calvert Casey, "El centinela en el Cristo" (1960), apunta hacia la religiosidad por medio de un vislumbre del "hombre nuevo", varios años antes de su formulación propiamente guevarista. Casey y un amigo extranjero turistean

[20] *Ibid.,* pp. 121-122.

por La Habana, pocos días después del triunfo de la Revolución, y deciden escalar el Cristo que se levanta en Casa Blanca, al otro lado del puerto. Ambos se percatan de que cerca de ese Cristo está la fortaleza de la Cabaña, cuyo comandante es el *Che* Guevara. Se les acerca, entonces, un soldado que cuida la fortaleza y conversa con Casey y el turista, quienes descubren que el joven soldado, es una nueva criatura, que profesa el evangelio revolucionario:

> La verdadera revelación vino lentamente, al calor de la conversación sencilla y amistosa, que giraba como jugando sobre el sol de la sierra, el calor de la llanura y los episodios de la guerra en que había intervenido, a los que restaba toda importancia, y que después se hizo seria hasta llegar a los objetivos de la Revolución, de los que tenía un concepto clarísimo, y a la distribución de la tierra, patrimonio de todos los que la trabajen, de la que hablaba con gran intensidad. Este hombre utilizaba una lengua desconocida, se expresaba en términos inusitados de la vida y la muerte, pero sobre todo, de la vida y del derecho al disfrute de sus bienes inagotables; de una nueva justicia, de un concepto más humano y menos abstracto del bien… Estábamos —estaba yo, hombre de la misma tierra— ante un nuevo tipo humano, un ser absolutamente revolucionario en el sentido total de la palabra, con el que nacía una sensibilidad desconocida hasta ahora, un producto telúrico, un ser dulcísimo producido por la violencia, mitad criatura de los riscos, mitad apóstol justiciero y juguetón.[21]

El similar entusiasmo con que Severo Sarduy vivió el triunfo de la Revolución cubana, en enero de 1959, es constatable en sus colaboraciones en periódicos y revistas insulares de aquel mes y los siguientes. En un texto publicado en *Combate,* el periódico del Directorio Revolucionario, impulsado por Julio García Oliveras, Guillermo Jiménez y René Anillo, Sarduy sostenía

[21] Calvert Casey, *Cuentos (casi) completos,* Conaculta, México, 2009, pp. 286-287.

que uno de los principales déficits del campo intelectual cubano era la falta de profesionalidad de los escritores, generada, a su vez, por la ausencia de un mercado literario. El hecho de que los escritores no pudieran dedicarse profesionalmente a la literatura —y tuvieran que dedicarse al periodismo y a la televisión, por ejemplo, para ganarse la vida— provocaba que no pudiera constituirse una comunidad de lectores no literaria. De ahí que los "escritores se volvieran sus propios lectores" y que muchos de ellos prefirieran "formarse en Buenos Aires o en París".[22]

El texto de Sarduy formaba parte de una intervención en un programa televisivo de la CMQ, titulado "Posición del escritor cubano" y conducido por el periodista Luis Gómez Wangüemert, en el que también intervinieron Virgilio Piñera, José Rodríguez Feo y Nivaria Tejera. Con aquella compañía, no es raro que Sarduy se refiriera a *Orígenes* y *Ciclón* como publicaciones "excepcionales" de la República, que alentaban la profesionalización de los escritores, ni que aludiera a Buenos Aires como una de las ciudades en las que se "formaban" los escritores cubanos, insinuando el caso de Piñera y también el de Carpentier, en relación con París. Lo curioso es que la idea de la Revolución que entonces Sarduy defendía, a pesar de demandar de los escritores una "conciencia de clase", no estaba reñida con la autonomía profesional del escritor, constitutiva del campo intelectual moderno o "burgués", estudiado por Pierre Bourdieu.[23]

La mejor manera de comprobar aquella noción de autonomía no es por medio de la búsqueda de explícitos distanciamientos ideológicos con la Revolución, que Sarduy no tuvo mientras vivió en Cuba, sino a través de una mirada más atenta al ejercicio de una escritura que narraba la epopeya revolucionaria sin subordinar la ficción a la ideología. Lo primero que llama la atención en los textos juveniles de Sarduy es la sintonía con

[22] *Combate* (6 de mayo de 1959), p. 2. Véase también Ana Cairo Ballester, *Viaje a los frutos,* Ediciones Bachiller de la Biblioteca Nacional José Martí, La Habana, 2007.

[23] Véase, por ejemplo, Pierre Bourdieu, *Las reglas del arte. Génesis y estructura del campo literario,* Anagrama, Barcelona, 1995.

una narrativa (Guillermo Cabrera Infante, Calvert Casey, Edmundo Desnoes, Lisandro Otero, Antón Arrufat...) que, por su formación estilística en las vanguardias europeas y norteamericanas (Joyce, Kafka, Hemingway, Dos Passos, Sartre, Camus...), intentaba una suerte de canto llano de la epopeya. A diferencia de quienes, en esa misma generación o la anterior, pensaban que la Revolución debía ser cantada en los tonos mayores del realismo socialista, estos escritores buscaban una estética fría en medio del entusiasmo.

Sarduy formó parte, sin duda, de esa sensibilidad, ligada, sobre todo, al periódico *Revolución,* dirigido por Carlos Franqui, y a *Lunes de Revolución,* el suplemento literario encabezado por Guillermo Cabrera Infante. En la página "Nueva Generación", del periódico *Revolución,* aparecieron unas décimas y tres relatos, "Las bombas", "El general" y "El torturador", donde es legible esa suerte de épica congelada. Las "décimas revolucionarias", por ejemplo, producían una indistinción entre los muertos del bando revolucionario y el bando batistiano, que se acerca a la noción de guerra civil, literariamente incorporada por Desnoes, Arrufat y otros escritores de aquella generación. La caracterización del espectáculo revolucionario como una "fiesta del duelo" fijaba aquel rol de Sarduy como espectador de un drama histórico:

> Muera quien tiñe el asfalto
> de sangre tibia y espesa,
> muera el chacal que de un salto
> se apodera de su presa,
> muera quien humilde besa
> la mano que lo castiga.
> Muera la voz enemiga
> que transita por el cielo.
> ¡Siga el festival del Duelo
> El Festín del Duelo siga![24]

[24] Cira Romero, *op. cit.,* p. 59.

La sangre es un elemento central en aquellos poemas revolucionarios que Sarduy llamó, alguna vez, "baladas frías":

> Árboles de sangre estallan,
> en medio de las praderas,
> doradas enredaderas,
> de arterias los ametrallan.
> Por donde quiera batallan
> la sangre helada y la muerte,
> me puse de pronto a verte
> por tu propia sangre ahogada
> y se iluminó la Nada:
> me decidí a defenderte.[25]

La sangre, que en un temprano soneto dedicado a la memoria de Ignacio Agramonte, el prócer independentista de Camagüey, la patria chica de Sarduy, era una petición "loca de la tierra y el cielo", por la "poca vergüenza" que había en el suelo del héroe bajo la dictadura de Fulgencio Batista, se ha convertido, en los primeros días de la Revolución, en una emanación de la Nada.[26] El poeta entiende, entonces, la experiencia revolucionaria como un gesto nihilista y, a la vez, fundacional, en una intelección filosófica muy parecida a la del existencialismo francés. Sartre y Camus, cada uno a su manera, rearticularon el nihilismo y dotaron de un sentido político a la nada, por medio de la interpretación de la anomia como efecto de la sociedad de masas contemporánea. Sarduy no estaba lejos de aquella intelección en 1959.

En el relato "El general", por ejemplo, también aparecido en la página "Nueva Generación" de *Revolución,* Sarduy se metía en la piel de un reportero de la prensa del antiguo régimen que entrevistaba a un jefe militar de la dictadura. Mientras tomaba su baño vespertino, el anciano general rememoraba sus

---

[25] *Ibid.,* p. 59.
[26] *Ibid.,* p. 42.

batallas terrestres, admitía no haber intervenido en ninguna batalla aérea y cuando se disponía a recordar sus batallas navales, resbalaba con un jabón en el fondo de la bañadera, que "lanzaría su cuerpo venerable, superviviente de tantas batallas, a la más ridícula de las muertes".[27] El relato con desenlace farsesco o chusco, que recuerda algunos poemas y ficciones de Virgilio Piñera, introducía una neutralización del discurso ideológico, en medio de la compulsiva demanda de compromiso de enero de 1959, que veremos, más desarrollada aún, en piezas como "Las bombas" o "El torturador" y en *Gestos* (1963), la primera novela de Sarduy.

En "Las bombas", Sarduy hace otro ejercicio de desdoblamiento, adoptando la identidad de ociosos burgueses habaneros, que entre el *bridge* y la canasta, comentan los sucesos de la Revolución. Los eventos de la misma se reducen a la fobia del terror que se sentía en las salas de clase alta, donde, de oídas, se contaban los muertos y se inventariaban los estallidos que estremecían la ciudad. Si Sarduy no fuera también el autor de "El torturador", en el que la misma operación de desdoblamiento se pone en función de una caricatura mordaz del pensamiento del verdugo, "Las bombas" podría ser leído como una crítica de la violencia revolucionaria. Entre el personaje narrador de "Las bombas" y el de "El torturador" hay una semejanza: ambos son sujetos frívolos, que viven la Revolución como un drama ajeno.

El primero, luego de inventariar con hastío las bombas de los "terroristas", concluye: "pero toda esta tragedia, toda esta angustia cotidiana, toda esta masacre —lo confieso con valentía— comienza a fatigarnos. El aburrimiento amenaza de nuevo. Volveremos a la canasta".[28] El segundo, Felipe Aguilar, es un estudiante de medicina, contratado por el Servicio de Inteligencia Militar de la dictadura de Batista para torturar revolucionarios. El retrato de Sarduy prescinde, sin embargo, de todo

[27] *Ibid.*, p. 93
[28] *Ibid.*, p. 90.

rasgo moral o ideológico y presenta al torturador como técnico del sufrimiento corporal, orgulloso de ser "el mejor verdugo del régimen", no tanto por lealtad política al mismo sino por profesionalismo represivo. El "concepto de la Historia" del torturador no es más que un artefacto: "una silla sobre la cual se ajusta una especie de recámara con un hueco en el centro para la cabeza del occiso".[29]

Es inevitable asociar las condiciones de posibilidad de estas distancias literarias, que narraban la Revolución al margen de cualquier épica, con el breve periodo, tal vez de 1959 a 1968, en que la ideología revolucionaria estuvo formulada con la suficiente flexibilidad como para tolerar poéticas vanguardistas, que se apartaban de las grandes demandas de compromiso político. Sarduy, igual que otros escritores de la generación anterior, como Virgilio Piñera o José Lezama Lima, o de su propia generación, como Guillermo Cabrera Infante, Calvert Casey, Edmundo Desnoes o Antón Arrufat, entendió que el carácter "revolucionario" de una literatura estaba más determinado por valores estéticos renovadores que por la suscripción de cualquier ideología, por muy emancipatoria que fuera.

Es esa noción de la vanguardia literaria la que le permitió a Sarduy transitar con naturalidad del mundo habanero de *Ciclón* y *Lunes de Revolución* al París de *Tel Quel*. *Gestos* (1963), la primera novela dedicada a François Wahl, revela tanto la aproximación estética al fenómeno revolucionario como la codificación semiótica de la cultura habanera de la década de 1950, un mecanismo que Sarduy explotará de manera diferente a Guillermo Cabrera Infante. La Habana de la charada, de los negros rumberos que "nunca cesan", del bolero y el beisbol: el puerto colonizado por la lengua inglesa y el *flaneurie* turístico que es, al fin y al cabo, el antiguo régimen semióticamente codificado por el azar y la música, por la sensualidad y la violencia. Esa Habana tebana, donde Dolores Rondón, la mulata camagüeyana, alcanzó la grandeza, donde estallaban bombas y petar-

---

[29] *Ibid.*, p. 96.

MARIPOSEO SARDUYANO

dos y donde la demagogia de los políticos sonaba en los alto-
parlantes, fue el producto cultural que Sarduy ofreció a los
filósofos de *Tel Quel.*[30]

Aunque las colaboraciones del cubano en la revista fueron
frecuentes y el pensamiento de algunos editores fue una importante referencia en su obra, Sarduy no puede ser conside-
rado una figura central de *Tel Quel.* Su condición de cubano
exiliado pesó, probablemente, en la localización lateral que
mantuvo dentro de aquella mítica publicación. Como es sabido, en 1974, cuando la plana mayor de *Tel Quel* (Sollers, Kristeva, Barthes, Wahl y Pleynet) viajó a China, invitados por Mao
Tse Tung, Sarduy quedó en París. De haber ido, sin embargo, su
visión hubiera sido, probablemente, muy similar a la de Barthes, quien rechazó el protocolo ideológico, la insistente buro-
cracia y el dogmatismo intelectual de los comunistas chinos.[31]
El orientalismo de Sarduy, como ha recordado Rubén Gallo,
incluía a China —junto con la India y Japón— dentro de su
itinerario, pero operaba de acuerdo con otros tiempos políticos.[32]

Fuera del currículum cubense

Es conocida la frase sobre el "mariposeo neobarthesiano de Severo Sarduy", que, en 1971, Roberto Fernández Retamar dedicó
a su compatriota exiliado, como parte de los ataques de la ofi-
cialidad intelectual de la isla a la revista *Mundo Nuevo.* Ya para
entonces Sarduy había publicado, además de *Gestos* (1963),
otra novela, *De donde son los cantantes* (1967), el libro de ensayos *Escrito sobre un cuerpo* (1968) y dos cuadernos de poesía,
Flamenco (1970) y *Mood Indigo* (1970). En 1971, de hecho, hacía ya tres años que Sarduy no escribía en *Mundo Nuevo,* donde
había publicado varios adelantos de *Escrito sobre un cuerpo,* in-

[30] Severo Sarduy, *op. cit.,* pp. 316-317.
[31] Roland Barthes, *Diario de mi viaje a China,* Paidós, Madrid, 2010,
pp. 9-12.
[32] *El Oriente de Severo Sarduy,* Instituto Cervantes, Madrid, 2008.

cluido el célebre texto "Dispersión/Falsas notas (homenaje a Lezama)". La frase de Fernández Retamar, escrita en tono despectivo, es tan reveladora de la disonancia entre la ideología revolucionaria cubana y la izquierda francesa de la década de 1960 como de la inserción de Sarduy en esta última.

Donde sí publicaba Sarduy en 1971 era, precisamente, en *Tel Quel*, revista en la que aparecieron un par de adelantos de *Cobra* (1972), tal vez, su novela más barthesiana, además de algunos fragmentos de *Escrito sobre un cuerpo* (1968), especialmente el texto "Sur Góngora", en el número 25 de 1966, que desarrollará más tarde en "Góngora le baroque" (1968), en el número 49 de *La Quinzaine Littéraire*. También en *La Quinzaine Littéraire*, Sarduy había publicado dos ensayos que, como los anteriores, captaban muy bien el giro que por entonces daba su poética literaria: "L'écriture autonome" (1968) y "Un Proust cubain" (1971), otro texto más dedicado a su admirado Lezama Lima. El "mariposeo neobarthesiano" al que se refería Fernández Retamar era, en efecto, un síntoma de esos textos y un componente fundamental de la estrategia neobarroca elaborada por Sarduy entre fines de la década de 1960 y principios de la de 1970.[33]

Podríamos definir la transformación de la poética sarduyana, en aquellos años, por medio de un rebasamiento del proyecto de codificación semiótica iniciado en *Gestos* y continuado en su segunda novela, *De donde son los cantantes*. En esta última, lo codificado no era ya la esfera pública habanera de la década de 1950, sino la cultura cubana, aunque asumida ésta

[33] Sigo aquí ideas de las mejores monografías de Sarduy, publicadas todas fuera de la isla: Roberto González Echevarría, *La ruta de Severo Sarduy*, Ediciones del Norte, Hanover, New Hampshire, 1987; Gustavo Guerrero, *La estrategia neobarroca*, Ediciones del Mall, Barcelona, 1987; Marie Anne Mace, *Severo Sarduy*, Éditions L'Harmattan, París, 1992; Adriana Méndez Rodenas, *Severo Sarduy: el neobarroco de la transgresión*, UNAM, México, 1993; Rolando Pérez, *Severo Sarduy and the Religion of the Text*, University Press of America, Lanham, 1988; Julián Ríos, *Severo Sarduy*, Fundamentos, Madrid, 1976; Andrés Sánchez Robayna, *La victoria de la representación: lectura de Severo Sarduy*, Ediciones Episteme, Valencia, 1996.

como un sujeto determinado por diferencias y no como un ente ontologizable. Sarduy, como es sabido, hace actuar y hablar a sus personajes, Auxilio, Socorro, Clemencia, Mortal y, de nuevo Dolores Rondón, sobre un tejido simbólico compuesto por cuatro elementos: el español, el africano, el chino y la Muerte, la Pelona Innombrable. Cuatro elementos que Sarduy estiliza en forma de travestis o personajes de cabaret, sin dejar de remitir la identidad cubana a una dimensión metafísica, aludida por "el lechosito de la Selva Negra", que nos coloca, vía la *différence,* en plena filosofía posestructuralista.[34]

Habría que reconstruir el campo referencial que acompañó aquella evolución poética, que va de *Gestos* a *De donde son los cantantes,* a través de un repaso de las fuentes de *Escrito sobre un cuerpo* (1968), el libro de ensayos que Sarduy escribió luego de su segunda novela. Dedicado a Octavio Paz y con exergo de André Breton, aquel libro arrancaba con una brillante obertura analógica y, a la vez, genealógica, sobre los erotismos, que exponía las coordenadas estéticas de Sarduy en 1968: el Marqués de Sade, Georges Bataille, Giancarlo Marmori, Julio Cortázar y Salvador Elizondo.[35] La ubicación de Sarduy en la órbita de neovanguardia, impulsada por la revista *Tel Quel* era evidente, no sólo por el lenguaje o los temas que trataba sino por las constantes notas al pie de artículos de esa revista, escritos por Denis Hollier, Jean-Louis Baudry, Maurice Roche, Julia Kristeva y Phillippe Sollers.

Ya en *Escrito sobre un cuerpo,* Sarduy exponía su familiaridad con las obras de algunos de los fundadores del posestructuralismo francés, como Jacques Lacan, Michel Foucault, Jacques Derrida y, sobre todo, Roland Barthes. De este último tomaba ideas de *Mythologies* (1957) y *Le Système de la Mode* (1967), que trasladaban al estudio de la cultura popular y comercial de la sociedad de consumo enfoques de la economía política y la teoría semiótica, para pensar una novela de Carlos

[34] Severo Sarduy, *Obra completa,* t. I, pp. 422-423.
[35] Severo Sarduy, *Obra completa,* t. II, FCE/ALLCA XX/Unesco, Madrid, 1999, pp. 1121-1137.

Fuentes o para describir la "retórica visual" de la plástica vanguardista de la década de 1960.[36] El horizonte referencial de Sarduy no sólo remitía a *Tel Quel* sino a la construcción del canon crítico del *boom* de la novela latinoamericana, en el que intervino fuertemente el París de la década de 1960 y, específicamente, la revista *Mundo Nuevo,* dirigida desde esa ciudad por el importante crítico uruguayo Emir Rodríguez Monegal.

La frase sobre el "mariposeo neobarthesiano" de Roberto Fernández Retamar, anotada al inicio, era, desde luego, ofensiva, ya que condensaba el rechazo marxista-leninista al estilo y a la homosexualidad de Sarduy y al pensamiento posestructuralista que comenzaba a personificar Barthes. Pero la frase, publicada en 1971, respondía a la crispación retórica de la guerra fría cultural y, específicamente, al debate entre las revistas *Casa de las Américas* y *Mundo Nuevo,* que zanjaba las adhesiones y disidencias al socialismo cubano en América Latina. Cuando en 1966 estalló aquel debate, luego de la revelación por *The New York Times* de que la CIA había financiado al Congreso por la Libertad de la Cultura, entre 1953 y 1963, y que este último, y más tarde la Fundación Ford, se encargarían de impulsar la edición de *Mundo Nuevo,* se precipitó la fractura ideológica de los escritores latinoamericanos.

Los estudios contemporáneos sobre aquel debate permanecen divididos y algunos estudiosos, más que colocarse en la subjetividad, las ideas o los textos de los involucrados, continúan el conflicto por medio de una memoria cómodamente ideologizada, que reduce la cultura a "máscara" o "fachada" de intereses políticos, a partir de una descontextualización de la crítica de Ángel Rama a Emir Rodríguez Monegal y *Mundo Nuevo* en la revista uruguaya *Marcha.*[37] Pero en las aproximaciones más serias a ese debate (de Idalia Morejón, María Eugenia Mudrovcic o Marta Ruiz Galvete, por ejemplo) comienza a aparecer una

[36] *Ibid.,* pp. 1139 y 1193.
[37] Una de las versiones menos agresivas de este enfoque se encuentra en Ernesto Sierra, "*Mundo Nuevo* y las máscaras de la cultura", *Hipertexto,* núm. 3 (2006), pp. 3-13.

mirada menos rígida, más atenta al pensamiento y la escritura plasmados en aquellas revistas, que ayuda a conocer mejor el mundo de la vanguardia latinoamericana de la década de 1960.[38] Un simple repaso de los ensayos de Sarduy aparecidos en *Mundo Nuevo,* entre 1966 y 1968, sobre Darío, Sabato, Góngora, Lezama, el *yin* y el *yang,* arte urbano, travestismo o el fetiche de Cachemira, nos convencen de lo alejados que estaban esos temas de las prioridades de la CIA y los hermanos Dulles y de la inscripción de la poética sarduyana en el ambiente de la izquierda intelectual francesa de fines de la década de 1960.

Muchos de aquellos ensayos serían rescatados por Sarduy en *Escrito sobre un cuerpo,* pero otros comenzaban a dialogar con la escritura de *Cobra* (1972), su siguiente novela que traducirá Sollers, y con la teoría del neobarroco expuesta en su segundo libro de ensayos, *Barroco* (1974). De hecho, los primeros adelantos de *Cobra* y *Barroco* aparecerían en *Tel Quel* entre 1970 y 1971 y en *La Quinzaine Littéraire* entre 1968 y 1971, respectivamente. Habría que volver a leer *Barroco,* dedicado precisamente a Roland Barthes, para aquilatar el verdadero mariposeo barthesiano, esto es, la creación de un artefacto literario, como los textos de Sarduy, capaces de encontrar el origen del barroco en la cosmología de Kepler, Galileo y Copérnico, luego detenerse en el Greco, Borromini y Góngora, y desembocar, finalmente, en José Lezama Lima, como cristalización del neobarroco latinoamericano.[39]

Librada de su descalificación, el "mariposeo neobarthesiano" sería una buena fórmula para captar el método de escritura

[38] Idalia Morejón, *Política y polémica en América Latina. Las revistas Casa de las Américas y Mundo Nuevo,* Educación y Cultura, México 2010, pp. 107-201; María Eugenia Mudrovcic, *Mundo Nuevo. Cultura y Guerra Fría en la década del sesenta,* Beatriz Viterbo Editora, Buenos Aires, 1997, pp. 46-54, 55-80 y 81-114; Marta Ruiz Galvete, "Cuadernos del Congreso por la Libertad de la Cultura: anticomunismo y Guerra Fría en América Latina", *El Argonauta Español,* núm. 3 (2006), pp. 1-4.

[39] Severo Sarduy, *op. cit.,* t. II, pp. 1197-1261.

que se inicia en *Cobra* y *Barroco* y que colocó la obra de Sarduy fuera, literalmente, del *curriculum cubense*. La aventura vanguardista y cosmopolita de Sarduy no sólo no tiene equivalente en cualquiera de sus contemporáneos en la isla sino que, de manera resuelta, se ubica en una dimensión astronómica o cósmica, que le permitió desplazarse con libertad en el tiempo y en el espacio de la cultura universal, haciendo, por momentos, de Cuba una breve estación de tránsito. Esa movilidad y esa agitación tienen que ver, en efecto, con el mariposeo y con Barthes. En *Barthes por Barthes* (1975), este último proponía, de hecho, una definición del "mariposeo", como derivación conceptual de la "alternancia" o la "variante" de su admirado, el utopista francés decimonónico Charles Fourier:

> Es increíble la capacidad de distracción de un hombre a quien su trabajo aburre, intimida o estorba: cuando estoy en el campo y trabajo (¿en qué?, me releo, ¡desafortunadamente!), las distracciones que me suscito cada cinco minutos son las siguientes: vaporizar una mosca, cortarme las uñas, comerme una ciruela, ir a mear, comprobar si el agua del grifo sigue saliendo turbia (hoy han cortado el agua), ir a la farmacia, bajar al jardín a ver cuántos melocotones maduros hay en el árbol, hojear el periódico, construir un artefacto para sostener mis papeles.[40]

Al final, Barthes se percata de que una buena palabra para significar dicha flotación laboral es *rastreo*. Luego comprende que ese rastreo, al que dedica sus horas de ocio, es la mejor metáfora de la pasión intelectual que caracteriza su propia escritura. Algo similar podría encontrarse en el Sarduy de fines de la década de 1960 y principios de la de 1970, justo en el momento en que emprende la redacción de *Cobra* y *Barroco*. Hay una capacidad de flotación representativa en los textos de Sarduy de esa época —de México a la India, de Kepler al Aleija-

[40] Roland Barthes, *Roland Barthes por Roland Barthes,* Paidós, Barcelona, 2004, p. 98.

dinho, del Big Bang al Steady State, de la aritmética de Frege a las películas de Warhol— que lo asocia con el rastreo en su máxima expresión: el rastreo entendido como peregrinaje y suspensión.

Pero a pesar de la naturalización que el concepto de "mariposeo" alcanzó en Barthes, Sarduy recibió la frase de Fernández Retamar como ofensa homófoba. En su ensayo "El heredero" (1988), incluido en la edición crítica de *Paradiso* que Cintio Vitier coordinó para la Colección Archivos de la Unesco —Vitier, en su disputa por la herencia de Lezama, cambió el artículo del título de ese ensayo, que apareció como "Un heredero"— Sarduy argumentaba que la posición del "heredero" y el "descifrador" (él mismo) era siempre más frágil que la del "heredado" o "fundador" (Lezama). Mientras éste adquiría inmunidad simbólica, aquél "estaba condenado a la indiferencia o algo que es peor que la franca agresión y el ataque frontal: la sorna".[41] Y concluía con esta defensa de la acusación de Fernández Retamar: "cualquier detalle puede servir de enseña ensangrentada a los detractores —su sexualidad, por ejemplo—; cualquiera de sus textos, fruto de noches sin noche, de años de retiro y silencio, puede ser asimilado a un 'mariposeo', cualquiera de sus evasiones a una intriga".[42]

No deja de ser curioso y, a la vez, comprensible, que Barthes, en su propio mariposeo, remitiera a Sarduy a una condición cubana o centrara su lectura de *Cobra* en el efecto heterológico, de utopía de la lengua o "paraíso de las palabras", que lograba el barroco sarduyano. En algún momento de su conocido comentario sobre Sarduy, en *El placer del texto* (1974), hablaba de "una especie de franciscanismo que convoca a todas las palabras a hacerse presentes, darse prisa y volver a irse inmediatamente".[43] La analogía con la disciplina monástica y el impulso de peregrinación es suficiente para concluir que Bar-

[41] Severo Sarduy, *op. cit.*, t. II, p. 1413.
[42] *Idem*.
[43] Roland Barthes, *El placer del texto / Lección inaugural*, Siglo XXI Editores, México, 1974, pp. 17-18.

thes leyó *Cobra* y *Barroco* en perfecto diálogo entre ficción y ensayo. Un diálogo que el propio Sarduy inicia en la novela, al migrar velozmente del teatro de muñecas a la música sevillana y, de ahí, a la elipsis vertiginosa de "A Dios dedico este mambo", en la que los personajes adoptan identidades de monjes mercedarios, *drug dealers* holandeses, curtidores de Marrakech o travestis de Pigalle.[44]

A pesar de la familiaridad con la poética de Sarduy que desarrolló Barthes, en estos comentarios reaparecía, como decíamos, un impulso de cubanizar o tropicalizar sutilmente a Sarduy, a contrapelo del resuelto cosmopolitismo que planteaba la estrategia neobarroca. Dicho impulso provenía de la entusiasta lectura que Barthes hizo de *De donde son los cantantes,* publicada en *La Quinzaine Littéraire,* en 1967, bajo el título de "La face baroque".[45] Allí Barthes documentaba, de un plumazo, una "opresión del significante" en la tradición literaria francesa, asegurada por el peso de los legados aristotélico, jesuítico y cartesiano, que generaba un culto al "fondo", con no pocos dispositivos de represión de la sensualidad del texto. Barthes veía en Mallarmé y en el barroco dos estrategias de resistencia a ese logocentrismo francés.

El barroco español, el gongorino por más señas, permitía descubrir un barroco francés con el que Sarduy dialogaba indirectamente. De ahí que, para Barthes, lo nacional o lo cubano de Sarduy no proviniera de los tópicos geográficos o políticos —"el folklore o el castrismo", dice—, sino de la lengua, el texto y el hablar cubanos: "sus ciudades, palabras, bebidas, vestimentas, cuerpos, pestilencias…, una inscripción de culturas en varios tiempos. Sin embargo, sucede algo que nos concierne a los franceses: el transporte del lenguaje; la lengua cubana invierte

[44] Severo Sarduy, *op. cit.,* t. I, pp. 473-485.
[45] Severo Sarduy, *op. cit.,* t. II, pp. 1729-1730. Véase también la traducción al castellano de C. Fernández Medrano en Roland Barthes, *El susurro del lenguaje. Más allá de la palabra y la escritura,* Paidós, Barcelona, 1987, pp. 281-283.

su paisaje".[46] Aunque Barthes, persuadido de la estrategia neo-barroca sarduyana, asegura que *De donde son los cantantes* "no nos viene de Cuba", hay en su texto un permanente contrapunteo entre lo "cubano" y lo "francés", en buena medida como proyección caribeña del contrapunto franco-hispano, que revela alguna tensión migratoria.

La inscripción del "cubano" Sarduy en el barroco hispánico hace emerger, al decir de Barthes, la "cara" del barroco francés. Luego de esa amistosa naturalización del exiliado, Barthes vuelve a remitir la escritura de Sarduy a una condición cubana cuando identifica el mariposeo sarduyano con el "placer del texto". Por momentos, cuando Barthes adjetiva a Sarduy como "brillante", "alegre", "afectivo", "sensitivo", "divertido", "gracioso", "inesperado"…, se tiene la impresión de que la trampa de los estereotipos caribeños ha vuelto a hacer de las suyas. Pero en una lectura cuidadosa se advierte que esa localización caribeña o, específicamente, cubana, del neobarroco de Sarduy, tiene implicaciones estéticas e ideológicas más sugerentes.

Barthes, que siempre se acercó con cautela a la mirada sociológica de Roger Caillois y Georges Bataille, encontraba en el mapa de subjetividades dibujado en la narrativa de Sarduy —"lo cubano, lo chino, lo español, lo católico, los dopados, los teatrales, los que circulan en caravanas hacia el autoservicio sexual del otro…"— un diseño sofisticado de criaturas artificiales que se convertían en arquetipos o en "significantes".[47] Con esa comunidad de sujetos artificiales, Sarduy lograba que el significante confiara en sí mismo y se emancipara de la represión logocéntrica. Esa certidumbre de que no existe un más allá del lenguaje o de que la cultura e, incluso, la política, no pueden desentenderse ya de su codificación simbólica hacía de la escritura la búsqueda de un "texto totalmente hedonista". Y ese texto, agrega Barthes, era "revolucionario".[48]

[46] Roland Barthes, *El susurro del lenguaje…*, op. cit.
[47] *Idem.*
[48] *Idem.*

El hecho de que la noción de "placer del texto" de Barthes aparezca en aquella nota sobre *De donde son los cantantes,* de 1967, y que la misma llegara a convertirse en *leitmotiv* del ensayo del mismo título, de 1973, que arrancaba con un comentario sobre *Cobra,* es más que suficiente para leer la marca de Sarduy en la obra del autor de *El grado cero de la escritura.* Como ha recordado Gerardo Fernández Fe, otras pruebas de la intensa relación afectiva e intelectual que hubo entre ambos serían la ubicación de Sarduy, junto a François Wahl, Antoine Compagnon y Phillippe Sollers, en el primer rango de la "tábula gratulatoria" de *Fragmentos de un discurso amoroso* (1977) o la glosa "S.S." en el pasaje sobre Werther, la pasión, el sueño y la vigilia en ese mismo libro, además del uso de textos de Sarduy, como *La simulación* (1982), o de frases del cubano, como "un país puede equivocarse de libro" —a propósito de que era "una pena" que el "libro-clave" de España fuera *Don Quijote* y no *La celestina*— en sus notas para los cursos y seminarios de Barthes en el Collège de France, entre 1978 y 1980.[49]

Pero regresemos a aquella idea de Barthes sobre el "texto revolucionario" en Sarduy. ¿Qué entendía Barthes por *revolución* en *De donde son los cantantes* y en el París de 1967? La idea barthesiana de lo revolucionario como liberación del significante de la hegemonía del fondo, del significado o del campo semántico previamente ideologizado, tenía claras conexiones con la ideología de la nueva izquierda francesa, que protagonizaría el mayo del 68. Barthes, como muchos de sus contemporáneos, pensaba entonces que la economía política de los símbolos, correspondiente a la nueva fase capitalista, demandaba una revolución del concepto de *revolución,* entendido a la clásica manera leninista, maoísta o fidelista. Los nuevos sujetos revolucionarios no soportaban, ya, la vieja fórmula de definición totalizante u homogeneizadora del "proletariado" o el "pueblo"

---

[49] Roland Barthes, *Fragmentos de un discurso amoroso,* Siglo XXI Editores, México, 1982, pp. 96 y 253; Roland Barthes, *La preparación de la novela,* Siglo XXI Editores, México, 2005, pp. 196-197 y 247.

y exigían una pluralización civil y moral, donde cupiera esa tribu de enanos, boleristas y *drag queens* que retrataban Fellini y Sarduy.

En aquel mismo texto sobre *De donde son los cantantes*, Barthes relacionaba la eficacia del verbalismo de Sarduy con ciertos giros de "comunicación transitiva y moral" que se daban en el habla coloquial o política, como "alcánzame el queso" o "deseamos sinceramente la paz en Vietnam".[50] La estrategia neobarroca o el mariposeo sarduyano compartían esa apuesta por una rebelión contra la ideología del lenguaje, que impedía el contacto con las políticas corporales de los sujetos. Esa erótica no era, como asumieron sus críticos insulares, un ejercicio frívolo o mera combinatoria de artificios sino una práctica liberadora del significante, no desprovista de ciertos rasgos épicos y, por tanto, no desconectada del horizonte de la nueva izquierda. A propósito de la "paz en Vietnam", como significante liberado, no habría que olvidar que *Mundo Nuevo,* la revista acusada por *Casa de las Américas* y *Marcha* de ser instrumento de la CIA, dedicó uno de sus primeros números a la denuncia de esa guerra y otros a la crítica del golpe militar argentino, el atraso rural y el hambre en América Latina y la política de Washington hacia la región.

El propio Sarduy se acercó a esa proyección de su poética literaria en el horizonte de las vanguardias artísticas y las nuevas izquierdas, en un par de pasajes poco comentados de *Barroco* (1974). Dichos pasajes habían sido incorporados, dos años antes, al ensayo "Barroco y neobarroco", que Sarduy ofreció a la antología *América Latina en su literatura* (Siglo XXI Editores, 1972), coordinada por César Fernández Moreno, donde también aparecieron textos, curiosamente, de José Antonio Portuondo, José Lezama Lima y Roberto Fernández Retamar. El primero de aquellos pasajes, se coloca en una perspectiva de marxismo cultural crítico, muy similar a la que predominaba en *Tel Quel:*

[50] Roland Barthes, *El susurro del lenguaje...*, op. cit., p. 282.

¿Qué significa hoy en día una práctica del barroco? ¿Cuál es su sentido profundo? ¿Se trata de un deseo de oscuridad, de una exquisitez? Me arriesgo a sostener lo contrario: ser barroco hoy significa amenazar, juzgar y parodiar la economía burguesa, basada en la administración tacaña de los bienes en su centro y fundamento mismo: el espacio de los signos, el lenguaje, soporte simbólico de la sociedad, garantía de su funcionamiento, de su comunicación. Malgastar, dilapidar, derrochar lenguaje únicamente en función del placer —y no, como en el uso doméstico, en función de información— es un atentado al buen sentido, moralista y "natural —como el círculo de Galileo— en que se basa toda la ideología del consumo y la acumulación. El barroco subvierte el orden supuestamente normal de las cosas, como la elipse —ese suplemento del valor— subvierte y deforma el trazo, que la tradición idealista supone perfecto entre todos, del círculo.[51]

El segundo definía, claramente, el barroco o, más específicamente el neobarroco que, a juicio de Sarduy, comenzaba con Lezama, como la "Revolución", con mayúscula:

> Barroco que en su acción de bascular, en su caída, en su lenguaje *pinturero*, a veces estridente, abigarrado y caótico, metaforiza la impugnación de la entidad logocéntrica que hasta entonces lo estructuraba desde su lejanía y su autoridad; barroco que recusa toda instauración, que metaforiza al orden discutido, al dios juzgado, a la ley transgredida. Barroco de la Revolución.[52]

Quien esto escribía era, desde luego, un exiliado y un crítico del socialismo cubano que, precisamente por entonces, consumaba el avance acelerado hacia la sovietización totalitaria. En su magnífico ensayo "Plumas, sí: *De donde son los cantantes* y Cuba", Roberto González Echevarría reprodujo fragmentos de varias cartas intercambiadas con Sarduy, entre principios de

---

[51] Severo Sarduy, *op. cit.*, t. II, p. 1250.
[52] *Ibid.*, p. 1253.

la década de 1970 e inicios de la de 1980, en las que el escritor cubano hacía críticas frontales al sistema político y a las élites intelectuales de la isla.[53] Pero las opiniones políticas de Sarduy sobre Cuba, mayormente expresadas en el ámbito privado, no eran incompatibles con su localización en la izquierda vanguardista francesa entre la década de 1960 y la de 1980. En un brevísimo momento de *Cobra*, el desencanto con la deriva totalitaria de la Revolución cubana parece asomar sutilmente: "como a toda revolución, sucedió a ésta un régimen de sinapismos draconianos".[54]

Perfecta confirmación del lugar de Sarduy en el entorno intelectual de la nueva izquierda francesa fue que en la América Latina de la década de 1980 y de la de 1990, un escritor del exilio cubano, como él, fuera leído como fuente de búsqueda de una modernidad alternativa, articulada en torno a la estética e, incluso, el *ethos* del barroco. Cuando el marxista mexicano, de origen ecuatoriano, Bolívar Echeverría se sumó al debate modernidad / posmodernidad de aquellas décadas lo hizo utilizando a Sarduy como referente de una teorización del barroco como opción de gasto, despilfarro y abundancia poéticas, que cuestionaba la racionalidad del capitalismo moderno.[55] En su libro *La modernidad de lo barroco* (1998), Echeverría, intelectual marxista latinoamericano, no aprovechaba la teoría del barroco latinoamericano de Alejo Carpentier sino las tesis neobarrocas

[53] *Ibid.*, pp. 1588-1590.

[54] Severo Sarduy, *op. cit.*, t. I, p. 445.

[55] Bolívar Echeverría, *La modernidad de lo barroco,* Era, México 1998, pp. 14-16. No es imposible detectar vasos comunicantes entre la tesis de Echeverría y la lectura reciente de la obra de José Lezama Lima del estudioso puertorriqueño Juan Duchesne Winter, quien ha encontrado un tipo de politicidad y soberanía en el autor de *Paradiso*, que, a partir de Carl Schmitt, Antonio Gramsci y Georges Bataille, enlazaría la "curiosidad barroca" con el ideal de una "república de la amistad", entendida como abandono de la racionalidad política del "moderno príncipe". Juan Duchesne Winter, *Del príncipe moderno al señor barroco: la república de la amistad en* Paradiso, *de José Lezama Lima*, Archivos del Índice, Cali, Colombia, 2008, pp. 21-46.

de *Nueva inestabilidad* (1987), el ensayo de Sarduy editado en la editorial de la revista *Vuelta*.

En aquel libro, Echeverría continuaba el proyecto teórico, iniciado con *El discurso crítico de Marx* (1986) y *Las ilusiones de la modernidad* (1995), de aprovechar desde el marxismo latinoamericano algunas ideas posestructuralistas y posmodernas. Encontraba, por ejemplo, en *Le pli* (1988), el famoso estudio de Gilles Deleuze sobre Leibniz, una propuesta del barroco como rechazo al "alisamiento de la consistencia del mundo", similar a la que por entonces sostenía Marshall Berman en *Todo lo sólido se desvanece en el aire* (1988). Deleuze iniciaba con el acápite "¿Qué es el barroco"?, en el que relacionaba el sistema de los mónadas de Leibniz, que al carecer de "ventanas, agujeros y puertas" deben plegarse sobre sí mismas, precisamente, con una cita de Sarduy.[56] A partir de esas referencias contemporáneas, Echeverría se daba a la tarea de rastrear en el barroco hispánico y americano del siglo XVII y en la tradición jesuítico-criolla asociada al mismo, ya no una estética sino un *ethos* cultural de resistencia a la modernidad capitalista y de experiencia de una modernidad otra.[57]

No es este el lugar para dirimir los alcances del proyecto de Echeverría, pero sí para destacar lo mucho que el mismo debió a la obra del exiliado cubano Severo Sarduy. En la Introducción de su libro, Echeverría reproducía el primer pasaje citado más arriba, del ensayo "Barroco y neobarroco" de Sarduy, y afirmaba que a pesar de constituir una "estrategia de resistencia radical", el *ethos* barroco "no era revolucionario".[58] La utopía del *ethos* barroco, concluía Echeverría, "no estaba en el más allá de una transformación económica y social, en un futuro posible, sino en el más allá imaginario de un *hic et nunc* insoportable, transfigurado por su teatralización".[59] Sin dejar de ser

---

[56] Gilles Deleuze, *El pliegue. Leibniz y el barroco,* Paidós, Barcelona, 1989, p. 41.
[57] Bolívar Echeverría, *op. cit.,* pp. 207-224.
[58] *Ibid.,* p. 16.
[59] *Idem.*

sarduyana, dado su acento en la "teatralización", esta idea de Echeverría tomaba distancia de la noción "revolucionaria" del neobarroco defendida por Sarduy.

La paradoja de que el marxista crítico latinoamericano sostuviera un *ethos* barroco no revolucionario, mientras el exiliado cubano defendiera un "barroco de la Revolución" se deshace en cuanto recorremos las críticas del propio Echeverría al experimento soviético y a la idea comunista de la revolución, que él identifica con la tradición romántica.[60] El marxista crítico latinoamericano y el exiliado cubano convergen, entonces, en el punto en que la revolución, para no ser entendida de manera totalitaria, debe ser asumida como una práctica cultural barroca y no como un hecho romántico, tal y como la entendió, todavía, José Lezama Lima en *La expresión americana*. El neobarroco y el mariposeo sarduyanos serían, en este sentido, estrategias estéticas que sintonizaban más con las políticas libertarias de la izquierda europea y latinoamericana en el contexto del 68 que con la ideología de la Revolución cubana.

Anotábamos al inicio que el interés de Severo Sarduy por Rubén Darío estaba relacionado con la percepción del modernismo como romanticismo hispanoamericano, defendida, entre otros, por Octavio Paz. Sin embargo, con la idea de la revolución como fenómeno cultural barroco, antes que como evento romántico, Sarduy proponía una reescritura de la historia literaria latinoamericana en la que el punto de partida de la expresión propia no era Rubén Darío sino José Lezama Lima. Con este último se iniciaba una nueva era, la de la lengua neobarroca, de la cual el autor de *De donde son los cantantes* se consideraba hablante y defensor. El propio Sarduy entendió su obra como el testimonio de un heredero, que deja huellas de su paso por ese tiempo lezamiano. Una era que no comenzaba en 1959, con la entrada de Fidel en La Habana, sino en 1966, con la edición de *Paradiso,* o en 1968, con la revuelta estudiantil de París.

---

[60] *Ibid.,* p. 35.

IV. Formas de lo siniestro cubano

EN VARIAS páginas desbordadas de síntomas y arquetipos de *Los años de Orígenes* (1978), Lorenzo García Vega afirmaba escribir aquellas amargas memorias de su juventud insular desde cuatro ciudades del exilio: Madrid, Caracas, Nueva York, Miami. Como en su anterior, *Rostros del reverso* (1977), el paisaje de cada ciudad parecía emerger entre las páginas de los libros que por entonces leía García Vega: *La doctrina suprema* del psiquiatra zen Hubert Benoit, *Growing Up Absurd* de Paul Goodman, *Life Against Death. The Psycoanalitic Meaning of History* de Norman O. Brown, *The Denial of Death* de Ernest Becker o *The Making of a Counter Culture* de Theodore Roszak.[1]

Aquellas lecturas, propias de la izquierda intelectual de Occidente en las décadas de 1960 y 1970, las compartía Lorenzo García Vega con otros escritores cubanos de su generación en el exilio, como Carlos M. Luis, Octavio Armand, Mario Parajón, Víctor Batista o Fausto Masó. Casi todos ellos se habían identificado con la Revolución cubana en sus primeros años y se habían desencantado con la misma cuando comenzó a asimilar ideas e instituciones del totalitarismo. El desencanto, en sus casos, llegó acompañado de una revaloración de todo el legado intelectual cubano, con especial énfasis en la revista *Orígenes* (1944-1956), dirigida por José Lezama Lima y José Rodríguez Feo —a la que perteneció el joven García Vega—, y de una compleja desconexión de las ideas de la izquierda occidental

---

[1] Lorenzo García Vega, *Los años de Orígenes,* Bajo la Luna, Buenos Aires, 2007, pp. 9 y 292.

—psicoanálisis, existencialismo, vanguardia, contracultura…—
del naciente socialismo cubano.[2]

El dilema de asumir la condición de un joven intelectual
cubano exiliado, en Nueva York, París, Madrid, Caracas o la
Ciudad de México, dentro de los círculos ideológicos y estéticos de las vanguardias de aquellas décadas, está elocuente-
mente plasmado en aquellos libros de García Vega. Su ajuste
de cuentas no era, únicamente, con *Orígenes,* un proyecto letrado tradicional que él entendía y defendía en clave vanguardista, sino con la Revolución cubana y, en buena medida, con
el pensamiento de la izquierda occidental que respaldaba, en la
isla, un sistema que limitaba derechos civiles y políticos fundamentales y, en los Estados Unidos y Europa, era instrumen-
tada por los grandes poderes mediáticos del capitalismo posindustrial:

> Estas páginas sobre los años de *Orígenes* se escriben en Nueva
> York, 1977, cuando los movimientos por una anticultura han
> sido devorados, siniestramente, por el sistema (las palabras de
> un Paul Goodman parecen haber sido dichas en un pasado in-
> memorial), y cuando los que soñamos con el espejismo de una
> Revolución cubana sabemos que sólo ha quedado lo estúpido de
> una playa albina (Miami) o el siniestro sistema carcelario del
> castrismo. La Cultura ha seguido siendo la Cultura: horrible ins-
> trumento del sistema, donde lo mediocre profesional despliega
> la horrible jerga estructuralista, y donde los poetas, convertidos
> en poetas profesores, mascan chicles ectoplasmáticos, o juegan
> con sus pluralismos, y sus experimentalismos… Pero el notario
> de los años de *Orígenes,* cree que la marginalidad llevaba un re-
> verso, y que el reverso terminaba en una anticultura. El notario
> cree que sólo esto tiene sentido.[3]

[2] Sobre la relación de García Vega con el psicoanálisis, véase Jorge Luis
Arcos, *Kaleidoscopio. La poética de Lorenzo García Vega,* Colibrí, Madrid, 2012,
pp. 181-201.
[3] *Ibid.,* p. 292.

Al desencanto con la apropiación del legado de *Orígenes* por el poder revolucionario y con la Revolución misma, García Vega agregaba el desencanto con las vanguardias occidentales de las décadas de 1960 y 1970 que, luego de criticar la cultura capitalista, terminaban siendo procesadas por ésta. De manera que el gesto intelectual de García Vega como exiliado cubano era bastante ajeno al de la última generación del antiguo régimen republicano (Eugenio Florit, Gastón Baquero, Lydia Cabrera, Jorge Mañach, Humberto Piñera Llera, Roberto Agramonte o Leví Marrero) y, de hecho, partía de una identificación mayor que la de éstos con la experiencia revolucionaria. Una identificación que era generacional —García Vega tenía 33 años al triunfo de la Revolución, la misma edad de Fidel Castro—, ideológica y, también, estética.

No fue Lorenzo García Vega el único escritor del grupo *Orígenes* que se exilió: también lo hicieron Gastón Baquero, Ángel Gaztelu, Justo Rodríguez Santos y Julián Orbón. Pero el exilio de García Vega, en el otoño de 1968, se produjo luego de una inmersión profunda en el complejo tránsito de la ciudad letrada origenista —o, más específicamente, lezamiana— a la nueva comunidad intelectual creada por la Revolución. Es esa ubicación en el crucero histórico de la cultura cubana la que hace de García Vega un testigo privilegiado de los avatares y desencuentros entre la vanguardia insular y la vanguardia occidental, durante las primeras décadas socialistas. Un testigo que, a su paso, registra también las tensiones entre el nacionalismo cubano, revolucionario o exiliado, y las estrategias literarias del vanguardismo tardío. Luego de un itinerario tan zigzagueante, no es raro que García Vega acabara asociando los ontolegemas nacionales de *Orígenes* y la Revolución con formas de "lo siniestro cubano".[4]

---

[4] *Ibid.*, p. 273.

La sangre veloz

Cuando en 1948 apareció el primer poemario de Lorenzo García Vega, *Suite para la espera,* publicado por la editorial Orígenes, Lezama le dio la bienvenida en el número 17 de su revista con una reseña elogiosa, luego reproducida en *Tratados en La Habana* (1958). Destacaba entonces Lezama que había una "incuestionable sangre veloz" en la poesía del joven García Vega, relacionada con una, en cambio, muy madura asimilación de las vanguardias poéticas de la primera mitad del siglo XX. Esa madurez, según Lezama, se manifestaba en que García Vega se desplazara del predecible "surrealismo" al más arduo "cubismo", que lo antecedió, y que prefiriera la sombra de Apollinaire a la de Breton. Aquella nota de Lezama sobre *Suite para la espera* (1948) es un documento propicio para leer la curiosa relación de Lezama con el surrealismo y, en general, con las vanguardias:

> Se percibe un alejamiento de la fluencia surrealista, y una búsqueda de planos cubistas: la estructura y la lejanía de cada palabra hierven su poliedro. Cuando Apollinaire tocó, encontró y no subrayó, *drama surrealista,* estaba ya hecho todo el remo largo de la otra realidad. Después que la exuberancia de Apollinaire encontró ese drama surrealista, las teorizaciones de Breton parecían laqueadas para ejercer una influencia. En aquel cubismo de Apollinaire y en el encuentro de aquella palabra, había la lucha del objeto frente a la temporalidad; para ello se buscaba una esencia dura, una resistencia armada desde la estructura hasta el reconocimiento. El sueño era una parte de la realidad, ni siquiera el más valioso de sus fragmentos. Los objetos pasaban al sueño en una danza de cuerpo y objeto enlazados. Las cosas, los objetos, la realidad, no entraban en el sueño como el baile perpetuo de las metáforas, la planicie, la bocina del fonógrafo, la navaja, la navajita, para desvanecerse en la temporalidad y continuar la ceguera, río debajo de la suma de las sumas.[5]

[5] *Orígenes,* núm. 17 (La Habana, primavera de 1948), p. 43.

Lezama se refería a la conocida utilización del término "surrealismo" por Guillaume Apollinaire a propósito de su obra teatral *Las tetas de Tiresias* (1917), y contraponía aquella intuición a la consagración estética e ideológica del movimiento propuesta por André Breton en el *Manifiesto* de 1924. En la contraposición entre el "cubista" Apollinaire, amigo y defensor de pintores como Picasso y Braque, y Breton, Lezama deslizaba una crítica al surrealismo y al psicoanálisis en tanto estrategias estéticas que dejaban intactas la literalidad y la temporalidad del realismo decimonónico, invirtiéndolas. El surrealismo y el psicoanálisis, según Lezama, no pasaban de ser "teorizaciones ilustradas" o "conceptos sueltos que entran por la bocina del fonógrafo para desvanecerse en la sucesión fría".[6] No es difícil referir algunas críticas del pasaje citado a Dalí o a Chirico, aunque Lezama distinguía, en Breton, una historización de la literatura a favor del surrealismo que no le era ajena. En ese mismo texto mencionará la lectura bretoniana de Nerval y del propio Apollinaire y, en otros posteriores, presentará a Breton como discípulo de Victor Hugo.

La *Suite para la espera* (1948) de García Vega, según Lezama, era cubista, no surrealista. Y uno de sus rasgos distintivos era la representación de poetas, escritores o personajes literarios (Verlaine, Blake, Apollinaire, Vicentillo, Lord Jim, Jísabel, Carlos V, el Cid, el rey Don Juan, el negro Pip...) como máscaras fragmentadas por una mirada desde distintos ángulos. Había en aquel poemario imágenes que podríamos llamar "surrealistas", como la "carretera de cristal", "el buitre insinuado tras las rejas", los "flamencos desnucados", las "tumbas rojizas de la infancia", las "cerbatanas de cera" o los "delfines de algodón".[7] Y había también una voluntad de lector, un deseo de exposición o confesión de lecturas —"sí, he sido lector de Lautréamont"..., "las liebres en incienso de gaseosa a fecha de libro roto/en remiendo de algodonoso indio/los aviones de cartón

[6] *Idem.*

[7] Lorenzo García Vega, *Poemas para la penúltima vez. 1948-1989*, Saeta Ediciones, Miami, 1991, pp. 9-61.

César Vallejo"..., "Apollinaire al agua"..., "al campo ya Whitman rasquea sus andares"...— que describían un personal archivo poético.[8]

Encontraba Lezama en esos "conjuros de lector" del joven García Vega una familiaridad no libresca con los poetas del pasado, en la que éstos no eran evocados únicamente como escritores sino también como hombres. El Apollinaire de García Vega no era únicamente el versificador posimbolista o el defensor del cubismo, sino también "el artillero Kostrowisky que regresaba a su casa para aumentar su cantidad de añejo y encontrar una nueva novela pornográfica".[9] A diferencia de una "raza malhumorada de poetas a los que las influencias se les han convertido en cosa exterior, casual y obligatoria", las lecturas poéticas de García Vega escenificaban un diálogo real con los poetas muertos, especialmente, con Apollinaire y Vallejo:

> En esta sutil oportunidad del libro de Lorenzo García Vega, una influencia es un encuentro, una conversación o ese polvillo que se desprende y flota, precisa y desconcierta al objeto. Vallejo y Apollinaire recobran sus siluetas amargas y jocundas y nos estrechan la mano como si llegasen de un extenso viaje o se sentasen en el café con una soledad de constante despedida. Sus nombres, sus situaciones, sus aventuras y posibilidades, vuelven a herirnos como sus páginas, y así el verso conduce una nueva biografía, penetrando en nuestra propia sentencia como el autor que lo precisó puede penetrar por la ventana sorpresiva.[10]

Aun cuando Lezama destacaba el juego con voces vernáculas como en el verso "titingó, bambúes o bembúas" de García Vega, no asociaba el mismo a la "máscara del desfile" carnavalesco de la cubanidad o al "toque interjeccional", propio del afrocubanismo de la vanguardia de las décadas de 1920 y 1930, sino a una apropiación de los "umbrales de la calle", que res-

---

[8] *Ibid.,* pp. 11, 46 y 56.
[9] *Orígenes,* núm. 17 (La Habana, primavera de 1948), p. 45.
[10] *Idem.*

pondía a otro tipo de estética vanguardista.[11] Hay, por tanto, en la lectura que del joven García Vega hizo Lezama una aproximación bastante nítida a una vanguardia otra, contrapuesta a la de la generación de *Revista de Avance* (Marinello, Mañach, Carpentier, Ballagas, Guillén, Martínez Villena...), que se apartaba, a su vez, de las codificaciones estéticas e ideológicas del nacionalismo cubano.[12] En una lectura diferente a la de Lezama —y que, sin embargo, instrumentaba la de éste— Cintio Vitier intentaría retrotraer ese vanguardismo de García Vega a la estética nacionalista.

El mismo año de la aparición de *Suite para la espera,* 1948, Vitier dio a conocer, también en la editorial Orígenes, su célebre antología *Diez poetas cubanos* (1948). El último de los poetas antologados era, precisamente, Lorenzo García Vega, apenas tres años más joven que Fina García Marruz. Pero a pesar de su juventud y de contar con un solo cuaderno de poesía, García Vega era incluido en esa antología como miembro de un movimiento poético iniciado en 1937, con *Muerte de Narciso* (1937) de Lezama. En la presentación de García Vega, Vitier era mucho más vehemente que Lezama en su rechazo al surrealismo —"descartemos un surrealismo precoz, nada artificial pero sin duda transitorio, que más bien acude para comprobarnos la autenticidad del caos que intenta conjurar"— y asociaba ese "conjuro del caos" más con Rimbaud que con Apollinaire, a pesar de que la marca de *Les Illuminations* fuera más débil en García Vega que en el propio Vitier.[13]

Vitier catolizaba el drama existencial de García Vega como una lucha entre el bien y el mal o entre "el ser" y "la noche, la lluvia y la epifanía de monstruos".[14] Una lucha que se movilizaba poéticamente desde un sentimiento básico: "el miedo

---

[11] *Ibid.,* p. 44.

[12] Jorge Luis Arcos, *op. cit.,* pp. 231-246.

[13] Cintio Vitier, *Diez poetas cubanos. 1937-1947,* Ediciones Orígenes, La Habana, 1948, p. 229.

[14] *Idem.*

terrible de perder el devenir".[15] De este modo la obra vanguardista del joven García Vega, apenas insinuada en un primer cuaderno, quedaba ahormada por el proyecto teleológico del nacionalismo católico origenista. Aunque sólo cinco años menor que Vitier, García Vega era tratado por aquél como discípulo y heredero de los grandes maestros de *Orígenes* (Lezama, Baquero, Gaztelu, él mismo). Un heredero llamado a lograr la confirmación y sobrevivencia de la tradición:

> Se confirma así el signo de aquel movimiento que desde 1936 viene informando el centro de nuestra expresión poética, aquel impetuoso avance místico, irisado según cada temperamento, hacia las tierras más desconocidas y las figuras más vírgenes. Con Lorenzo García Vega, con su mundo de rocío isla adentro, de nostalgia en flechazos o grotesco en arlequines de palabras, con su tacto incandescente que esfuma el esperpento senil de la costumbre y nos grita absorto: *Mirad,* podemos estar ciertos que aquel impulso vuela a la región más angélica del tiempo y sigue henchido de la sed que importa, vocado a la luz y a la sustancia.[16]

No es improbable que esta unción nacionalista de Lezama y Vitier aproximara la poética de García Vega a la corriente católica de *Orígenes* entre 1948 y 1956. Varios de los poemas aparecidos en la revista en esos años, como los sonetos "Gallo", "En el comedor", "Nuevos halcones", "Túnel" y "Nocturno", y, sobre todo, las extensas composiciones, semielegiacas, "Historia del niño", "Las astas del frío" y "Tierra en Jagüey" —dedicado a Lezama— se colocaban en una perspectiva de evocación lírica de la familia, el pueblo y el paisaje republicanos, muy similar a la que se lee en cuadernos de Eliseo Diego y Fina García Marruz de la misma época.[17] Quien es leído, ahora, no es Apollinaire o Breton sino Marcel Proust, y la tríada conceptual del

[15] *Ibid.,* p. 230.
[16] *Idem.*
[17] Lorenzo García Vega, *Poemas para la penúltima vez. 1948-1989*, Saeta Ediciones, Miami, 1991, pp. 65-84.

criollismo —tierra, sangre y espíritu— es afirmada como en pocos textos de la tradición origenista. "Oh, espíritu: ya tú eres la tierra, sin saberte, diciendo que fue al sur,/en Sinú el sueño en aguas; la cruz, la cruz de tierra/que ya siento en el recuerdo en sangre de mi espera", concluía el poema "Tierra en Jagüey", publicado en el número 25 de *Orígenes,* en 1950.[18]

Ya en poemas de aquella misma época se observaba en García Vega un desplazamiento hacia la prosa, que acabará de consumarse en la primera parte de su diario *Rostros del reverso,* aparecido en la primavera de 1952, y, sobre todo, en su novela *Espirales del cuje* (1952), cuyo primer adelanto fue editado en el número 27 de la revista, en 1951. Hay en toda esta prosa, sin excluir el fragmento de *Rostros del reverso* en que cuestiona el vacío histórico de Cuba durante el cincuentenario de la República —"me pregunto si en Cuba faltará totalmente la responsabilidad histórica. Si toda esta traición en la política y en el periodismo, de las generaciones más inmediatas a nosotros quedará sin ningún eco. ¡Porque pienso en la falta de destino que implica escribir en Cuba!... Pesan siempre muchas culpas: nuestra frustración política, por ejemplo"— una presentación de García Vega como origenista cabal, que reitera ideas manejadas por Lezama o Baquero y que pronto serán sintetizadas por Cintio Vitier en *Lo cubano en la poesía* (1958).[19]

Esa concordancia no sólo era política —en el sentido de reiterar la frustración histórica de la isla y su encuentro con el *telos* por medio de la poesía— sino también estética, como puede leerse en *Espirales del cuje* (1952), la primera novela familiar de un origenista, que recibió, por unanimidad, el Premio Nacional de Literatura el mismo año del golpe de Estado de Fulgencio Batista contra el presidente Carlos Prío Socarrás y del medio siglo republicano. En su importante estudio "*Orígenes* ante el Cincuentenario de la República" (2004), César A.

[18] *Ibid.,* p. 84. Sobre el discurso de la tierra, la sangre y la memoria en el nacionalismo cubano y en *Orígenes,* véase mi libro *Motivos de Anteo. Patria y nación en la historia intelectual de Cuba,* Colibrí, Madrid, 2008, pp. 279-378.

[19] *Orígenes,* núm. 31 (La Habana, primavera de 1952), p. 40.

Salgado ha descrito el poco reconocido rol que jugaron, en las ceremonias literarias por los cincuenta años de la República, Lezama, Baquero y Vitier, en tanto interlocutores del primer director de Cultura de la dictadura batistiana, Carlos González Palacios.[20] Los premios a García Vega y el Premio Nacional de Poesía a Roberto Fernández Retamar, otro joven poeta cercano a *Orígenes,* fueron, de algún modo, reconocimientos oficiales de la importancia literaria de aquellos poetas y, también, una distinción de los mismos en el diálogo con el poder.

El malestar de García Vega con esa interlocución es palpable en los fragmentos de *Rostros del reverso* (1952), a pesar de que en los mismos no haya alusión directa al golpe del 10 de marzo. Al día siguiente del golpe, el 11 de marzo, García Vega se debate entre diversas alternativas de "internar el poema en los objetos" (Rilke, Kafka, Valéry...), asegurando una presencia discreta de la subjetividad.[21] Sin embargo, siempre que en aquel diario alude al cincuentenario lo hace acompañado de una expresión de rechazo, no sólo a la realidad política, sino al efecto que la misma produce en *Orígenes:* "es que la violencia pasiva de nuestra circunstancia ha llegado a influir en nosotros, dándonos un color, un matiz. ¿Qué es sino esa cautela, ese enredarse en sí mismos que caracteriza todas nuestras reuniones?"[22]

Esto se publicaba en la propia revista, a la altura de 1952, justo cuando la obra de García Vega se acomodaba mejor a la poética del origenismo católico. La novela *Espirales del cuje* (1952), también publicada en Ediciones Orígenes, estaba dedicada a Lezama —"cuando oía estos relatos en mi adolescencia, por el privilegio de su amistad y de su magia, tan esencialmente criolla"—.[23] Pero el criollismo no era únicamente esa clave

[20] César A. Salgado, "*Orígenes* ante el cincuentenario de la República", en Anke Birkenmaier y Roberto González Echevarría, *Cuba: un siglo de literatura (1902-2002),* Colibrí, Madrid, 2004, pp. 165-189.

[21] *Orígenes,* núm. 31 (La Habana, primavera de 1952), p. 31.

[22] *Ibid.,* p. 34.

[23] Lorenzo García Vega, *Espirales del cuje,* Orígenes, La Habana, 1952.

afectiva, de gratitud a Lezama, sino una apuesta estética deliberada de la novela, que se internaba en el mundo rural de Matanzas y Las Villas, en la tierra colorada y las fincas ganaderas de la zona, en las leyendas de los coroneles, los viajes a México y la armonía discordante de las familias católicas cubanas. El mundo de *Espirales del cuje* no era muy diferente al de Eliseo Diego o al del propio Lezama, sólo que su reconstrucción bajo las formas tradicionales narrativas lo acercaban a la corriente latinoamericana de la "novela de la tierra" (Gallegos, Asturias, Azuela, Güiraldes...), estudiada por Carlos J. Alonso.[24] No es raro que ese criollismo provocara la adhesión de Cintio Vitier, quien en la antología *Cincuenta años de poesía cubana* (1952) escribía:

> Debe añadirse el sentimiento, expresado también en la irónica ternura de *Espirales del cuje,* de la realidad cubana como revelación de un soplo mágico que viene de la tierra y los hombres a través de la memoria. Todo ello evolucionando de la nostalgia cortante, el rencor, la extrañeza, hacia una alegría que busca revolverse creadoramente en sentido criollo de la fiesta, a través de lo que hemos llamado "nostalgia en flechazos o grotesco en arlequines de palabras".[25]

En sus memorias *El oficio de perder* (2005), García Vega asoció también a ese "momento irreal", en que "masticaba pastilla de fantasma", los cuentos que escribió a mediados de la década de 1950 y que conformaron el volumen *Cetrería del títere*.[26] Pero lo cierto es que algunos de aquellos cuentos, como "Siesta de hotel", "Otro sueño", "Pequeño sucedido" y "Piel de estatua", publicados entre 1950 y 1956 en *Orígenes*, o "El

[24] Carlos J. Alonso, *Modernity and Autochtony. The Spanish American Regional Novel,* Cambridge University Press, Cambridge, 1990, pp. 13-22.

[25] Cintio Vitier, *Cincuenta años de poesía cubana (1902-1952),* Dirección de Cultura del Ministerio de Educación, La Habana, 1952, p. 379.

[26] Lorenzo García Vega, *El oficio de perder,* Ediciones Espuela de Plata, Sevilla, 2005, pp. 431-437.

caballero del frío", que daba término al volumen, se colocaban en una estética diferente a la de *Espirales del cuje*. Lejos de la nostalgia rural de Jagüey Grande, de aquel niño criollo que soñaba con ser Amado Nervo, había en esos relatos una búsqueda del absurdo cotidiano en La Habana modernizada de la década de 1950. El referente de aquellos textos ya no era Proust sino Kafka y, en no menor medida, Sartre y el existencialismo francés. Con aquellos relatos, reunidos en 1960 en el volumen *Cetrería del títere* (Universidad Central de Las Villas), García Vega regresaba al itinerario vanguardista trazado en sus primeros poemas.

El volumen apareció en el segundo año de la Revolución, en medio de los debates intelectuales entre la nueva generación de escritores (Guillermo Cabrera Infante, Antón Arrufat, Edmundo Desnoes, Heberto Padilla...), nucleada en torno a *Lunes de Revolución*, y los viejos escritores republicanos, cercanos o no a *Orígenes*. A pesar de las no pocas conexiones que había entre la narrativa de García Vega y el vanguardismo de *Lunes*, *Cetrería del títere* fue negativamente reseñado en el mítico suplemento literario del periódico *Revolución*. Antón Arrufat lo criticó en una nota sobre varios libros editados por la Universidad Central de Las Villas, que incluía *Lo cubano en la poesía*, aparecida en el número 64 del suplemento (20 de junio de 1960), luego de haber juzgado duramente, tan sólo un mes atrás, en el número 59, la *Antología de la novela cubana* (1960), compilada por García Vega para la Dirección General de Cultura del Ministerio de Educación, como "lamentable".[27]

¿Qué era lo lamentable, según Arrufat, de aquella antología? El principal reparo no tenía que ver con las inclusiones (Villaverde, la Avellaneda, Echeverría, Suárez y Romero, Martí, Meza, Nicolás Heredia, Jesús Castellanos, Carrión, Luis Felipe

---

[27] Antón Arrufat, "Una antología lamentable", *Lunes de Revolución*, núm. 59 (16 de mayo de 1960), p. 10; Antón Arrufat, "Saldo de una editorial", *Lunes de Revolución*, núm. 65 (20 de junio de 1960), pp. 20-22. Para un repaso de las críticas de *Lunes de Revolución* a *Orígenes*, véase Duanel Díaz, *Los límites del origenismo*, Colibrí, Madrid, 2005, pp. 187-222.

Rodríguez, Ramos, Loveira, Serpa, Montenegro, Novás Calvo, Carlos Enríquez, Labrador Ruiz, Carpentier, Lezama, Piñera, Alcides Iznaga y Nivaria Tejera) sino con las exclusiones y los acentos. Arrufat objetaba la ausencia de Ramón de Palma y Ramón Piña, el tratamiento privilegiado que se daba a Lezama —por encima, incluso, de Carpentier— y, aunque no lo decía, tal vez considerara, como su maestro Piñera, prescindible la novela *Amistad funesta* de José Martí.[28] La crítica mayor tenía que ver con la selección de los capítulos y con el enfoque que García Vega había dado a su antología: aquella idea, tomada de Ortega y Gasset, de no fijarse tanto en las tramas, conflictos o personajes sino en el "chafarrinón", en la materia prima de "pobres e inesenciales alusiones" que conformaban el cuerpo de cada novela.[29]

Sin embargo, a pesar de que por momentos García Vega todavía se acercaba a la retórica origenista de lo "nuestro", la "expresión" o el "paisaje", no había en el prólogo a aquella *Antología* rastros de providencialismo católico. García Vega cerraba su texto en una "posición que reniega de todo balance, de todo compromiso inútil de solidificación, de toda visión de manual" y, por más señas, concluía con una cita de *¿Qué es la literatura?* de Jean-Paul Sartre, en la que se cuestionaba frontalmente la pretensión de historiar un "ser" o una identidad nacionales, que había caracterizado a *Lo cubano en la poesía*: "es inútil que pretendamos convertirnos en nuestro propio historiador: el mismo historiador es un ser histórico. Debemos contentarnos con hacer nuestra historia a ciegas, al día, optando por lo que en el momento nos parezca mejor… Estamos dentro".[30]

[28] Lorenzo García Vega, *Antología de la novela cubana*, Ministerio de Educación-Dirección General de Cultura, La Habana, 1960, pp. 509-510; Antón Arrufat, "Una antología lamentable", *op. cit.*, núm. 59 (16 de mayo de 1960), p. 10.

[29] *Ibid.*, pp. 7-8.

[30] *Ibid.*, p. 21.

La familia dividida

Antonio José Ponte, César A. Salgado, Carlos A. Aguilera, Jorge Luis Arcos y otros estudiosos de Lorenzo García Vega han insistido en la fuerza de las representaciones familiares en el autor de *El oficio de perder* (2005).[31] La analogía entre familia y nación no sólo es una constante en casi todos los escritores de *Orígenes*, fueran católicos (Lezama, Vitier, Diego...) o no (Piñera o García Vega, por ejemplo), sino el punto de partida de otra analogía más persistente: la de la familia y la comunidad intelectual. Es en esta segunda derivación donde la biografía política de García Vega, por vías diferentes a las de Piñera, llega a un cuestionamiento radical de las metáforas nacionales y filiales producidas por *Orígenes* y luego incorporadas al aparato de legitimación del orden revolucionario en Cuba.

A diferencia de Piñera, cuya ruptura con *Orígenes* se produjo desde los tiempos de *Ciclón* (1955-1957) y se acentuó en los primeros años de la Revolución, García Vega se mantuvo leal al origenismo hasta su salida de Cuba en 1968 e, incluso, hasta la edición de *Rostros del reverso* (1977), que agregó, a los diarios de 1952 editados en *Orígenes*, los de su primer exilio en Madrid y Nueva York, entre 1968 y 1975. *Rostros del reverso* apareció en Monte Ávila un año después de la muerte de Lezama y es en ese libro donde encontramos las primeras deserciones explícitas de García Vega. Deserciones de dos familias ya para entonces ligadas por lazos de parentesco espiritual: la origenista y la revolucionaria.

Pero antes de *Rostros del reverso,* Lorenzo García Vega publicó un cuaderno de poesía, *Ritmos acribillados* (1972), en el que retomaba por la vía poética el acento vanguardista de *Suite para la espera* (1948) y *Cetrería del títere* (1960). Según cuenta

---

[31] César A. Salgado, "*Orígenes* ante el cincuentenario de la República", *op. cit.,* pp. 165-189; Antonio José Ponte, *El libro perdido de los origenistas,* Aldus, México, 2002; Carlos A. Aguilera, "La devastación. Conversación con Lorenzo García Vega", *Banda Hispana. Portal de Poesía* (www.revista.agulha. nom.br); Jorge Luis Arcos, *op. cit.,* pp. 146-156.

Mario Parajón en el excelente prólogo del cuaderno, los poemas fueron escritos en La Habana, entre 1966 y 1968, los dos últimos años en que García Vega vivió en la isla. El tema de los mismos era la memoria de los años en que el joven poeta estudió en el Colegio de Belén, de la Compañía de Jesús, en la capital de la década de 1940.[32] Casi todas las evocaciones de aquellos poemas (los "chillidos del Hermano Aguirre", "el ruido de su silbato que retuerce todas las paredes", las "huidas" del colegio, que eran escapes al "miedo cifrado en un paisaje", el "sudor" de los curas…) remitían a una atmósfera opresiva y angustiosa.[33] Parajón relata así la crisis de fe que sintió García Vega entre los jesuitas y que era rememorada en aquellos poemas:

> Un día Lorenzo se fue a la capilla con un libro de Nietzsche en la mano. La fe se le había escondido en alguna parte, la plática diaria en la misa diaria lo irritaba; era demasiado oír del infierno, del pecado, el escrúpulo, los libros prohibidos, el "fuera de la Iglesia no hay salvación", la fila por la "cuarta baldosa", el llamarle "general" a san Ignacio. ¿Por qué tenía que ser la Iglesia un Ejército? ¿Por qué tantas compañías, divisiones, dignidades y excelencias romanas? ¿Por qué el autoritarismo y no el desarrollo de la personalidad?[34]

La evocación poética de aquella crisis de fe en La Habana atea y anticatólica de mediados de la década de 1960 debió poseer, para García Vega, un dramático trasfondo intelectual. Aquellos eran años en que iniciaba la marginación oficial de Lezama, luego de la publicación de *Paradiso* (1966), pero, también, años en que otros origenistas como Cintio Vitier, Eliseo Diego y Fina García Marruz iniciaban una zigzagueante aproximación a la política cultural del gobierno revolucionario. La catolicidad origenista, lejos de ser entonces un elemento de conver-

[32] Lorenzo García Vega, *Ritmos acribillados,* Expublico, Nueva York, 1972, p. 13.
[33] *Ibid.,* pp. 25-28.
[34] *Ibid.,* p. 12.

FORMAS DE LO SINIESTRO CUBANO

gencia con la ideología oficial —como lo sería a partir de la década de 1980—, se colocaba en el punto de mayor confrontación doctrinal con el naciente Estado socialista.

Para García Vega, el reconocimiento de su abandono del catolicismo debía colocarse en una perspectiva de vanguardia, no asimilable al ateísmo comunista que impulsaba la Revolución. De ahí que, según su amigo Mario Parajón, la cercanía al surrealismo, al existencialismo y al psicoanálisis, que ya demostraba desde la década de 1950, apareciera entonces como búsqueda de una vanguardia alternativa. En algunos poemas de ese cuaderno, como el magnífico "Santa María del Rosario" —dedicado precisamente a Parajón—, "Aquella aventura" o "Ella en mi sombra" —con exergo de Paul Éluard— aparecía esa congelación onírica de la realidad, desde la sombra de una iglesia o desde la memoria de una infancia, que asociamos con los artificios bretonianos o freudianos.[35]

Este proceso intelectual, que en *Ritmos acribillados* (1972) se expresaba líricamente, en *Rostros del reverso* (1977) se mostrará desde la transparencia confesional del diario. De las lecturas de Sartre y Freud, Artaud y Mallea, de las revaloraciones de Rubén Martínez Villena y Arístides Fernández, como arquetipos de una vanguardia cubana incorruptible, García Vega saltaba, en 1968, a la constatación, bajo el Madrid del franquismo tardío, del fracaso de toda vanguardia en Occidente. Desde su llegada a la capital española, García Vega choca con la juventud letrada que venera al *Che* Guevara y a Camilo Torres y recibe con desagrado el consejo de Antonio Buero Vallejo de "no emitir juicios sobre la situación cubana, ya que aquí, en España, no se ve bien, entre el mundillo intelectual, cualquier opinión contraria al sistema político imperante en Cuba".[36]

Pero García Vega es un exiliado de vanguardia que, en medio del comunismo y el castrismo que lo rodea, en La Habana o en Madrid, lee a Herbert Marcuse e intenta concebir una poé-

[35] *Ibid.*, pp. 29-42.
[36] Lorenzo García Vega, *Rostros del reverso,* Monte Ávila Editores, Caracas, 1977, p. 52.

tica liberadora. Las ideas redentoristas de aquella izquierda del 68 son incorporadas por el escritor cubano, no a una reflexión sobre el cambio revolucionario mundial, sino a una afirmación del exilio como condición paradójica, de emancipación artística —en términos marcusianos— y, a la vez, de impotencia política frente al régimen de la isla —en términos antimarcusianos—.[37] Es entonces que García Vega debe repensar su lugar en la tradición de la literatura cubana y, en especial, su posicionamiento frente al legado de *Orígenes,* central en esa tradición.

En *Rostros del reverso* (1977) García Vega reproduce dos cartas que le envían amigos desde la isla, en el invierno de 1968. La primera, de un contemporáneo suyo, el poeta Manuel Díaz Martínez, quien comienza a tener dificultades con la política cultural del régimen por su participación en el jurado que premió, en contra de la posición de la Unión de Escritores y Artistas de Cuba, el poemario *Fuera del juego* de Heberto Padilla. Con ella, Díaz Martínez le enviaba un ejemplar de la *Antología de la novela cubana,* a la que catalogaba de "sorprendente" —en contra del juicio de Arrufat— e intentaba animarlo desde la posición de quien simpatiza con la Revolución, pero rechaza a sus burócratas y a sus apologetas de la izquierda latinoamericana y europea:

Conozco esos vertederos de Europa…, a donde va a parar el seudorrevolucionarismo de los pequeños burgueses de América Latina… (la ciudad de París es el más grande de todos) y la fauna que medra en ellos: el noventa por ciento de sus moradores son tipos que juegan a la revolución mientras más lejos están de ella, porque la pose de revolucionario viste mucho en esos países que, como España, están necesitados de hacerla. Pero para esos tipos la revolución es sólo un tema de sobremesa, una retahíla de frases más o menos explosivas cargadas de retórica política. Los que han vivido una revolución desde adentro saben

[37] *Ibid.,* pp. 62-63.

que en ella la angustia es una suerte de heroísmo cotidiano, que las aguas que arrastran al hombre no siempre son limpias y que todo esto, y mucho más, convierte en traición el ditirambo, la loa y la intransigencia del optimismo mesiánico (casi siempre practicado por los que creen en el futuro sólo como una forma de asegurarse el presente).[38]

El mensaje que recibía García Vega de su amigo Díaz Martínez, desde la isla, era de apoyo, a pesar de sus sintonías ideológicas con la Revolución. Aunque todavía se considerara "revolucionario", el poeta de *El país de Ofelia* (1965) y *Vivir es eso* (1968) podía imaginar la incomprensión que rodeaba a un exiliado cubano que aspiraba a una literatura de vanguardia. Pero el mayor aliento no provendría del amigo Díaz Martínez sino de su maestro y mentor, José Lezama Lima, miembro, también, de aquel jurado que premió a Padilla y que caería en desgracia por esos mismos años. En aquellas navidades de 1968, Lezama escribió a García Vega una carta en la que le regalaba el *leitmotiv* para el reconocimiento del exilio como condición intelectual:

Y ahora, como muchos otros cubanos, podrás vivir en el Eros de la lejanía, reconstruir por la imagen la Orflid de la lejanía, que, como sabes, es uno de mis viejos caballitos, pues se trata, nada menos, que el que está cerca esté lejos y el que esté lejos toque una fulguración, un reencuentro. De tal manera que nos seguimos encontrando todos los días en la misma esquina, hablando en el mismo café, entrando en la misma librería. Eso es la novela.[39]

El aliento de Lezama retomaba una idea que antes de la Revolución manejaron varios origenistas, como Cintio Vitier en *Lo cubano en la poesía* (1958) y el propio García Vega en la *Antología de la novela cubana* (1960), y que partía de la ponderación del rol del exilio en la formación de la cultura cubana,

[38] *Ibid.,* pp. 71-72.
[39] *Ibid.,* p. 101.

sobre todo, durante el siglo xix. Para García Vega aquella idea era una buena manera de acompañar la crítica de la "estereotipia de la rebeldía" de la izquierda occidental procastrista con una defensa del saber literario que podía acumular el exilio. Sólo que para García Vega ese "conocimiento" o esa "cultura" del exilio debía ser formulada en términos opuestos al nacionalismo anticomunista que predominaba en las comunidades de cubanos asentados en Miami, Nueva York, Madrid, México y otras ciudades del exilio:

> ¡Es que existe el conocimiento del exiliado, es que existen los textos del exiliado!... ¡Cómo no va a existir el conocimiento del exiliado! Pero en ese conocimiento no cabe ya la adoración del Libertador montado en su caballo, ni las noticias del general que quiso la grandeza. No, en ese conocimiento no cabe ninguna idolatría; no cabe la idolatría de los grandes hombres que amaban su bandera. Todo eso separa; todo eso, también, es la injusticia y la violencia, se dice el exiliado.[40]

Una lectura cuidadosa de los diarios de 1968, 69, 72, 73, 74 y 75 en el itinerario La Habana-Madrid-Nueva York-Miami, permite concluir que la necesidad de adaptar su poética literaria a la condición de un exilio vanguardista y cosmopolita fue el punto de partida de la crítica del legado de *Orígenes* que García Vega emprendería justo después de concluir *Rostros del reverso* (1977). Algo de esa crítica se insinuaba ya en el espléndido retrato de Gastón Baquero, que hemos comentado en otro lado, cuando García Vega glosa los versos de *Memorial de un testigo* en busca, no de una tradición, sino de un estilo "audaz", "cortante", "socarrón", "vigoroso".[41] Ese Baquero exiliado en Madrid, que le parece un "Cocteau disfrazado de general haitiano", es la encarnación del exiliado cubano que aspira a ser García Vega.

---

[40] *Ibid.*, p. 114.
[41] *Ibid.*, pp. 66-67. Rafael Rojas, *op. cit.*, pp. 338-342.

En Madrid o en Nueva York, viendo *King Rat* de Bryan Forbes, leyendo a Benoit y a Brown, a Paz y a Musil, reencarnando a Kafka como burócrata de una compañía de seguros, psicoanalizándose con Redinger o pasando horas frente a un cuadro de Hooper, de Mondrian, de Chirico o de Duchamp en el Museum of Modern Art, García Vega llega a encontrar la formulación plena de ese ideal de un exilio de vanguardia. Junto con el psicoanálisis y el surrealismo, sus viejas aficiones intelectuales, la tercera referencia será Carlos Marx, un autor que descubre, no en La Habana comunista sino en el Nueva York *pop* de la década de 1970. Es ese Marx, que dice "obsesionarle" y al que "quiere conocer profundamente", el que lo convence de que, en efecto, bajo el capitalismo el hombre es un "tullido". Esa certeza será el trasfondo de la definición del exilio como un estado de duda:

> Si bien salimos huyendo de una sociedad carcelaria, no es, por lo que parece, para conseguir la liberación, sino para hundirnos de nuevo en la ya tan sabida sociedad capitalista, con su sorda opresión, su implacable consumo, sus horribles chanchullos. Y es desesperante saber esto. Y es este conocimiento del exiliado, una tremenda forma de estar en la soledad, de estar en la contradicción, de estar en la duda.[42]

Aquel contacto directo con las vanguardias artísticas, con el psicoanálisis y el marxismo, en la década de 1970 y sobre todo en Nueva York, fue una de las fuentes del radical cuestionamiento que García Vega hará de la tradición intelectual cubana en su libro más leído, *Los años de Orígenes* (1978). La búsqueda de otra temporalidad poética y narrativa, que había retomado en *Ritmos acribillados* (1972) y que ahora continuaba en *Fantasma juega el juego* (1978), tal vez su cuaderno más vanguardista, era el correlato de una evocación sombría y, por momentos, injusta de la experiencia de *Orígenes*. Algunos poe-

---

[42] *Ibid.,* p. 126.

mas y algunas prosas de *Fantasma juega al juego,* como "Texto martiano", "Arañazo mediúmnico", "Parodiando a Rilke, frente a pájaro muerto", "Tejido sobre tejido" o "Gotas geométricas", articulaban las obsesiones literarias de García Vega —el cuerpo, la memoria, el tiempo, la extrañeza...— desde una identidad fantasmal, que se afirmaba en una crítica inclemente a lo más tradicional, católico y nacionalista de la cultura cubana, que él veía cristalizado en *Orígenes,* en la Revolución y, también, en la toponimia imaginaria, antiutópica, de Playa Albina, es decir, el gueto cubano de Miami.[43]

Desde la "Introducción Zen" a *Los años de Orígenes* (1978), García Vega colocaba la crítica a *Orígenes* sobre una plataforma heterogénea de las vanguardias europeas y neoyorquinas de las décadas de 1960 y 1970: Benoit y Robbe-Grillet, Schöenberg y Cage, Capote y Paz...[44] Aquellas referencias, que emergían como voces de diálogos perdidos en el exilio, regresaban a la memoria para demandar de García Vega una ruptura explícita con su tradición. Pero si se lee con reposo aquel libro disidente se observa que dicha ruptura se produjo de manera gradual y dubitativa, ya que García Vega, aun en *Los años de Orígenes* (1978), no dejaba de considerarse un origenista. El ajuste de cuentas era, no sólo con Lezama, con Vitier o con Diego, sino consigo mismo, siguiendo las modalidades de toda deserción o de toda herejía, especialmente, de aquellas asociadas a religiones, como la católica, o a revoluciones, como la cubana.

García Vega reinsertaba al inicio de su libro el excelente ensayo, "La opereta cubana en Julián del Casal", escrito en La Habana revolucionaria, específicamente en 1963, cuando se celebró el centenario del nacimiento del gran poeta modernista. Ya en aquel texto se detectaba la "cursilería" literaria en Cuba como un síntoma de "familias venidas a menos" o sectores sociales de la pequeña burguesía que, para afirmarse en la so-

---

[43] Lorenzo García Vega, *Poemas para la penúltima vez, op. cit.,* pp. 191 y 234-262.
[44] Lorenzo García Vega, *Los años de Orígenes, op. cit.,* pp. 9-25.

FORMAS DE LO SINIESTRO CUBANO

ciedad restituían estéticamente la historia nacional. García Vega observaba ese *kitsch* restitutivo en una larga corriente intelectual que atravesaba todo el siglo XIX, del romanticismo al modernismo, de Heredia a Casal y de Villaverde a Meza.[45] Sin embargo, al final del ensayo, llamaba a deshacerse de aquella tradición de "falsa opereta de un Segundo Imperio cubano", pero sin "posibilidad surrealista", ya que la misma no formaba ningún "fabuloso tapiz" o "juego mágico", sino el "rostro de lo desvencijado y de lo roto" e impedía la "conquista de la cristiana dignidad de la pobreza".[46]

El autor de "La opereta cubana en Julián del Casal" era todavía un origenista de vanguardia, no un antiorigenista como el que emergería en "Vieja y nueva moral" o en "Los padres de Orígenes", textos escritos ya en el exilio. De hecho, en los momentos de mayor disidencia de *Los años de Orígenes*, García Vega no abandona del todo la identidad origenista: "pese a todo sigo reconociendo la obra de Lezama, y quizás mantengo el orgullo de haber participado en la lucha de *Orígenes*".[47] Esta ambivalencia no es trasladable a la disidencia anticastrista, ya que para García Vega esta última se movilizaba desde un compromiso menos profundo con la Revolución. Sin embargo, en su caso, a diferencia de los críticos de *Orígenes* de *Lunes de Revolución*, el rechazo era una reacción contra el reconocimiento de la revista por parte del régimen revolucionario, que comenzó tímidamente en la década de 1960 y que llegó a su apoteosis tras la muerte de Lezama:

Triunfo de Lezama, y reconocimiento de Orígenes, que también sentimos como una claudicación. Pues Orígenes no sólo había significado, para nosotros, un esfuerzo para alcanzar una renovación en la vida intelectual del país, sino, más que nada, una lucha por la renovación espiritual de nuestra circunstancia. Pues

[45] *Ibid.*, pp. 35-57.
[46] *Ibid.*, pp. 59-59.
[47] *Ibid.*, p. 109.

vimos la pobreza de un Arístides Fernández, y la pobreza de Lezama, como decisión enraizada en lo religioso.[48]

Esta reacción, que todavía cargaba con el mito de la "pobreza" y la "marginación" de *Orígenes* en la República, llevó a García Vega a un cuestionamiento, ya no de la moral católica de algunos escritores de aquella generación, como Cintio Vitier, Eliseo Diego o Fina García Marruz, sino de la estética del propio Lezama, que a él mismo le había ofrecido una puerta de acceso a las vanguardias. La transferencia a *Orígenes* del mal gusto de la cultura republicana, del folletín y el *kitsch* de la tradición criolla, era desproporcionada porque muy poco tenía que ver con las poéticas literarias de Virgilio Piñera o el propio Lezama y porque la misma poética de García Vega, que también pertenecía a *Orígenes,* era su más clara negación.

La idea de que *Orígenes* dio la espalda totalmente al surrealismo, al psicoanálisis y a las vanguardias es cuestionable en más de un sentido, si se estudia con más cuidado la obra de Lezama. Breton y Freud, como sabemos, no fueron ajenos a este último y la poesía de Lezama, especialmente el cuaderno *La fijeza* (1944), como lo admitiera Octavio Paz en *Los hijos del limo* (1972), había representado, nada menos, que el fin del ocaso de la vanguardia hispanoamericana de las décadas de 1920 y 1930, ya para entonces "vanguardia arrepentida", y el comienzo de una "vanguardia otra, silenciosa, secreta, desengañada, crítica de sí misma y en rebelión solitaria contra la academia en que se había convertido la primera vanguardia".[49]

García Vega, que en el fondo compartía la visión de Paz, abandonaba la misma en los momentos de mayor vehemencia retórica. La lógica de la doble disidencia, de *Orígenes* y de la Revolución, demandaba una pasión simplificadora, que se advierte, sobre todo, en los pasajes que dedica a la recepción de Lezama y *Paradiso* en los ambientes del *boom* de la novela

[48] *Ibid.,* p. 107.
[49] Octavio Paz, *Obras completas,* I. *La casa de la presencia. Poesía e historia,* FCE, México, 1994, p. 461.

latinoamericana de la década de 1960 y, especialmente, en la lectura que del autor de *La expresión americana* (1957) hiciera Severo Sarduy. La identificación que, en "De dónde son los Severos", hizo García Vega entre la lectura neobarroca de Sarduy y la lectura católica y nacionalista de Vitier es insostenible o sólo comprensible como *boutade*.[50] Lo que no significa que la codificación neobarroca de la poética de Lezama sea, también, cuestionable en más de un sentido.

Como advierte Gustavo Guerrero, no faltaba en aquella reacción de García Vega el celo del heredero, que no admite otros procesamientos del legado de Lezama.[51] Celo paradójico, de origenista disidente que, no en balde, se proyectaba más rebajado en sus críticas a los detractores de *Orígenes* desde *Lunes de Revolución*. García Vega era menos tolerante con el lezamismo de Sarduy que con el antiorigenismo de Guillermo Cabrera Infante, Heberto Padilla y otros colaboradores de *Lunes de Revolución*. Su juicio sobre aquellas polémicas, que en más de una ocasión involucraron su propia obra, denotaba una ponderación, ausente en otras zonas de *Los años de Orígenes*:

> Y los jóvenes, muchos de los cuales se agruparon en *Ciclón,* y más tarde en *Lunes,* no pudieron comprender esto. Y los jóvenes querían que Regla se convirtiera en el Village. Y los jóvenes no entendían, ni tenían por qué entender, cuando algunos origenistas se ponían a hablar de Carlos V y de la Sacra Majestad Católica. Y los jóvenes creyeron que si Ginsberg era homosexual, Ginsberg no podía aparecer como discípulo de Jacques Maritain. Y los jóvenes nunca entendieron por qué, si Cintio era un poeta, un poeta que había querido a Ballagas, tenía, mojigatamente, que borrar todo el infierno sexual que en los poemas de Ballagas se traduce.[52]

[50] Lorenzo García Vega, *Los años de Orígenes, op. cit.,* pp. 197-242.

[51] Gustavo Guerrero, "Una posteridad en disputa", *Diario de Cuba* (27 de diciembre de 2010). www.diariodecuba.com.

[52] Lorenzo García Vega, *Los años de Orígenes, op. cit.,* p. 273.

Es justo en ese momento de *Los años de Orígenes* que García Vega esboza la noción de "lo siniestro cubano", como una dialéctica de la historia insular, que esconde, tras la promesa de una integración, una separación mayor: "lo siniestro cubano fue más fuerte que nosotros: empezó separándonos y acabó por devorarnos a todos".[53] Según el propio Lezama, eso había sido la Revolución cubana: "la gran prueba definitiva, la que nos llevó a vivir en tierra aliena, en el mundo desconocido de la dispersión y la secreta vida heroica".[54] La obra de Lorenzo García Vega fue, entre las décadas de 1960 y 1970, la tozuda apuesta por una expresión de vanguardia en medio de la desintegración nacional que propiciaron el 59 cubano y todos sus exilios.

En uno de los primeros relatos que García Vega publicó en el exilio —significativamente en la revista *Exilio*— se hablaba de la peor experiencia de desintegración cultural en un país marcado históricamente por el éxodo: la pérdida de las bibliotecas.[55] Contaba entonces García Vega la historia de una familia habanera que había visto envejecer sus libros bajo las revoluciones contra los dictadores Machado y Batista y bajo el exilio impuesto por el socialismo fidelista. Aquellos libros envejecidos, abandonados por el frío, "chirriaban como los muebles", "silbaban, con un silbido de calles gastadas". Las formas de lo siniestro cubano tenían ese modo atroz de manifestarse.

[53] *Idem.*
[54] José Lezama Lima, *Cartas a Eloísa y otra correspondencia,* Verbum, Madrid, 1998, p. 326.
[55] Lorenzo García Vega, "Tres poemas", *Exilio. Revista de Humanidades,* año 3, núm. 2 (verano de 1969), pp. 14-16.

V. Al otro lado de la ficción

TAL VEZ el primer rastro de Julieta Campos (La Habana, 1932-
México, D. F., 2007) en la literatura cubana, como el de tantos
otros escritores de su generación, haya que encontrarlo en
algún número de *Lunes de Revolución,* el suplemento literario
del periódico *Revolución,* que dirigió Guillermo Cabrera Infante entre 1959 y 1961. En el homenaje a México que publicó
aquella revista, en el verano de 1960, la joven cubana, recién
casada con el intelectual y político tabasqueño Enrique González Pedrero, hacía un recorrido por la literatura mexicana, en
el que sus estaciones de tránsito eran Octavio Paz, Emilio Uran-
ga, Agustín Yáñez, Fernando Benítez, Alí Chumacero, Marco
Antonio Montes de Oca, Jaime García Terrés, Juan Rulfo, Juan
José Arreola y Carlos Fuentes.[1]

Destacaba en aquella aproximación de *Lunes* a México y
en la mirada de la joven cubana la confluencia de dos generaciones de intelectuales mexicanos: la de los formados en las
décadas de 1930 y 1940 (Rulfo, Paz, Arreola), cuando la Revolución mexicana, en su fase cardenista y poscardenista, aún
se sentía viva, y la de los más jóvenes (Fuentes, Montes de
Oca, García Terrés), que habían emergido al campo literario
mexicano en la década de 1950, cuando el periodo revolucionario comenzaba a ser rebasado en la historia social y política
de México. Campos, naturalmente, se sentía parte del segundo
grupo y comenzaba a relacionarse con jóvenes escritores me-

---

[1] Julieta Campos, "Situación de la literatura mexicana", *Lunes de Revolución,* núm. 63 (junio de 1960), pp. 13-14.

xicanos como Carlos Monsiváis, José Emilio Pacheco, Elena Poniatowska o Juan García Ponce, vinculados a los suplementos *México en la Cultura* (1956-1962) y *La Cultura en México* (1962-1971), dirigidos por Fernando Benítez y diseñados por Vicente Rojo.

Cuando Octavio Paz renunció a la embajada de la India y, a su regreso a México, fundó la revista *Plural,* en 1971, Julieta Campos se afilió a dicha corriente intelectual. Tras el cierre de *Plural,* en 1976, y el inicio de *Vuelta,* la joven escritora transfirió sus lealtades estéticas y políticas a esta nueva revista.[2] Además de publicar decenas de artículos y reseñas en *Vuelta,* la editorial de esa publicación dio a conocer su libro de ensayos *Un heroísmo secreto* (1988), donde Campos sintetizó, por primera vez, su visión de la literatura cubana. Hasta la aparición de ese volumen, la nacionalidad de origen de Campos se había manifestado muy tenuemente, en algunos ensayos de la década de 1960 y la de 1970, como *La imagen en el espejo* (1965), *Función de la novela* (1973) y *El oficio de leer* (1974).[3]

En aquellos años, la mayor atención de Campos estuvo puesta en una suerte de arqueología cultural de las lenguas prehispánicas mexicanas, que tuvo aciertos como *La herencia obstinada. Análisis de cuentos nahuas* (1982), *El lujo del sol* (1988) y *Bajo el signo de Ix Bolon* (1988). La profunda inmersión en las literaturas mayas y mexicas de esta escritora cubana recuerda el gesto de su antepasada, Calixta Guiteras Holmes, hermana del importante líder revolucionario cubano de la década de 1930, Antonio Guiteras, quien se exilió en México mucho antes de la Revolución cubana y se dedicó a la investigación antropológica de las comunidades indígenas de los Altos de Chiapas, específicamente en San Pedro Chenalhó. Resultado de décadas de trabajo de campo fue su gran pro-

<hr>

[2] Fabienne Bradu, "Una escritora singular", prólogo a Julieta Campos, *Obras reunidas I. Razones y pasiones. Ensayos escogidos 1,* FCE, México, 2005, pp. 11-23.

[3] Christopher Domínguez Michael (comp.), *Antología de la narrativa mexicana del siglo xx,* t. II, 2ª ed., FCE, México, 1996, p. 170.

AL OTRO LADO DE LA FICCIÓN

yecto funcionalista, *Los peligros del alma. Visión del mundo de un tzotzil,* editado en 1965 también por el Fondo de Cultura Económica.[4]

La mayor deuda literaria que reconocía Julieta Campos en sus ensayos era con José Lezama Lima y Eliseo Diego. El más claro diálogo con sus contemporáneos cubanos era con Severo Sarduy, quien fue también lector leal de Lezama y Diego.[5] La frase "el heroísmo secreto" remitía directamente a una célebre carta de Lezama a su amigo exiliado, el gran músico cubano Julián Orbón, que a fines de 1971, justo cuando comenzaba el aislamiento político del autor de *Paradiso,* hablaba del periodo revolucionario iniciado en 1959 como una "gran prueba definitiva que nos llevó a vivir en tierra aliena, en el mundo desconocido de la dispersión y la secreta vida heroica".[6] Hay mucho de ese heroísmo secreto en la obra literaria de Julieta Campos en el México de fines del siglo xx. Una obra perfectamente localizada en las coordenadas de la vanguardia estética de las décadas de 1960 y 1970, que también orientaban el proyecto intelectual impulsado por Octavio Paz desde *Plural* y *Vuelta,* pero producida por una exiliada cubana que gradualmente tomaba distancia de la Revolución que abrazó en su juventud.

La frontera del relato

Julieta Campos encabezó su antología *Reunión de familia* (1997), una compilación de casi toda su obra narrativa hasta entonces, con un breve ensayo sobre la modernidad.[7] Salvo la pieza teatral *Jardín de invierno,* todos los textos que forman *Reunión de fami-*

[4] Calixta Guiteras Holmes, *Los peligros del alma: visión del mundo de un tzotzil,* FCE, México, 1965, pp. 11-14.

[5] Julieta Campos, *Obras reunidas I, op. cit.,* pp. 44-47, 82-85 y 100-106.

[6] José Lezama Lima, *Cartas a Eloísa y otra correspondencia,* Verbum, Madrid, 1998, p. 352. Véase también Julieta Campos, "Lezama o el heroísmo de lo secreto", *Vuelta,* núm. 52 (1981), pp. 65-68.

[7] Julieta Campos, *Reunión de familia,* FCE, México, 1997, pp. 7-21.

lia fueron escritos entre 1960 y 1980: dos décadas en las que muy pocos escritores de este continente (Paz, Borges, Lezama, Rulfo y alguien más) lograron mantenerse a cierta distancia del frenesí del *boom* y de la imaginería fantástica latinoamericana. La enigmática prosa de Julieta Campos es parte de ese torbellino que levantó la última modernidad literaria en América Latina, pero su peculiar *modo de estar ahí* logra una voz de rara elegancia dentro de aquella literatura.

En aquel ensayo, Campos, de la mano del Octavio Paz de *Los hijos del limo* (1972), sostenía un concepto de modernidad ligado a una "tradición de la ruptura", en las sucesivas ideologías y estéticas impulsadas por los movimientos culturales del siglo XX, y al establecimiento de la crítica como ejercicio "consustancial a la creación": crítica de la sociedad burguesa, de sus valores, de su lenguaje, de su literatura y de su arte.[8] Luego Campos ubicaba su propia literatura en la que llamaba una "última vanguardia", la de los escritores de la "antinovela" francesa de las décadas de 1950 y 1960 y que se extiende, también, a círculos del pensamiento y la crítica parisinos de entonces como la revista *Tel Quel*, Robert Pinget y Roland Barthes. Campos mencionaba entonces a Nathalie Sarraute, Robbe-Grillet, Michel Butor y Claude Simon, como los representantes emblemáticos de la "última vanguardia", pero insinuaba un fracaso de aquellas poéticas por su incapacidad para crear una comunidad de lectores:

> Todos concebían a la novela o al *texto,* como empezó a denominarse una forma de escritura cada vez más híbrida, con discutibles parentescos con el relato, como *obra de arte.* Paradójicamente, ese lector al que se convocaba como protagonista se mantuvo reacio a asumir el papel demasiado activo que se le adjudicaba.[9]

---

[8] *Ibid.,* p. 8.
[9] *Ibid.,* p. 12.

Sin mucha vehemencia, Campos confrontaba entonces la poca hospitalidad para con el lector de la antinovela francesa con la gran capacidad comunicativa, no sólo de otras corrientes intelectuales de la segunda posguerra como el existencialismo o el marxismo, sino de precursores de la nueva novela, en la primera mitad del siglo XX, como Proust, Gide, Woolf, Joyce, Musil o Kafka. Al final, se preguntaba Campos un tanto agotada, ¿la escritura experimental o la "transgresión de los relatos paradigmáticos" no había aparecido, ya, en el Siglo de Oro con el *Quijote* de Cervantes o en la Ilustración con el *Tristram Shandy* de Sterne? Procedimientos vanguardistas de la escritura, aunque sin la ortodoxia de la "narración objetiva" francesa, podían encontrarse también en una parte del naciente *boom* latinoamericano: Carpentier, Lezama Lima, García Márquez, Cortázar, Vargas Llosa, Fuentes, Roa Bastos...[10]

En aquel prólogo Julieta Campos ofrecía la clave para comprender su resuelta aproximación a los paradigmas de la última vanguardia. No se trataba, decía ella, de la experimentación por la experimentación o de la búsqueda incesante de nuevas técnicas que imponía la pulsión de la ruptura. Aunque con extrema sutileza, Campos asociaba su vanguardismo juvenil a la escisión ideológica y estética que debía experimentar una cubana exiliada en México, en los años posteriores a la Revolución, cuando, precisamente, buena parte del universo intelectual de las vanguardias occidentales remitía a la experiencia del socialismo insular. La exploración de los límites de la ficción tenía, para ella, un significado indisociable de la pregunta por la Historia y su lugar, como exiliada, en la misma:

Aquel ficcionar fronterizo, que bordeaba siempre el relato sin acabar de abordarlo, no fue un divertimento cerebral o ingenioso, sino una cuerda floja donde el derecho a sobrevivir estaba en juego. Eludir el relato, rondándolo sin cesar, no fue ocioso escarceo de virtuosismo, sino imperativo para decir el hiato entre mi

[10] *Ibid.*, pp. 13-14.

memoria personal y dos memorias históricas que me solicitaban y me eludían por igual, dejándome sin más opción que la de un espacio-tiempo en vilo, inexpugnable por lo mismo a la corrosión de todo lo que acontece y tiene un término.[11]

Estas palabras de Julieta Campos, escritas en el verano de 1996, sólo pueden comprenderse cabalmente si, luego de una relectura de *Reunión de familia,* se procede a una internación en el mundo memorioso e histórico de su novela cubana, *La forza del destino* (2003). Es evidente que a mediados de la década de 1990, cuando el Fondo de Cultura Económica hizo la compilación de la narrativa vanguardista y juvenil de Campos, la autora ya tenía prevista la concepción y realización de una novela cubana en la que intentaría resolver la tensión entre su memoria personal y aquellas dos memorias históricas contradictorias: la que la unía a la Revolución cubana y la que la separaba del totalitarismo insular.

Durante toda su larga carrera literaria en México, Campos mantuvo el interés por la literatura producida en la isla. Antes de sus homenajes a Eliseo Diego, José Lezama Lima y Severo Sarduy en *Un heroísmo secreto* (1988), su libro de ensayos de la época de *Vuelta,* la escritora exiliada había reseñado *Biografía de un cimarrón* (1968) de Miguel Barnet en *La Cultura en México* y había dedicado un par de ensayos a Alejo Carpentier en su libro *La imagen en el espejo* (1965).[12] Este interés, sin embargo, no impidió su distanciamiento del sistema político cubano ni su persistencia en una estética narrativa de vanguardia. Buena muestra del rechazo que Campos sintió por el totalitarismo comunista es legible en su croniquilla "Viaje al país de los soviets", luego de una visita a Moscú en la Navidad de 1979 y, sobre todo, en su "Elogio de la locura", una transida defensa del científico disidente Andréi Sájarov, en la que anotaba:

[11] *Ibid.,* p. 15.
[12] Julieta Campos, *Obras reunidas I, op. cit.,* pp. 237-249 y 275-277.

AL OTRO LADO DE LA FICCIÓN

En los sistemas que tienden a una democracia plural los procedimientos de exclusión del discurso que no está "dentro del orden de las leyes" no son demasiado tajantes: las disensiones no conducen a la muerte ni al suicidio civil. En los sistemas duros los procedimientos de exclusión son manejados sin disimulo y no tiene cabida ninguna búsqueda de verdades fuera de los cauces institucionalizados: la prohibición del discurso disidente es absoluta. En sistemas duros, ningún discurso es verdadero por lo que enuncia sino por quien lo enuncia. Ritualizada por la investidura del poder, la palabra se paraliza y queda desplazada al limbo, a la prisión o al manicomio cualquiera que, sin tener esa investidura, formule un discurso reservado a los funcionarios ungidos de infalibilidad por el carisma del cargo.[13]

Pero contrario a lo que cabría esperar de una seguidora de la antinovela francesa, no había desmesuras experimentales en *Reunión de familia:* tal vez porque se trataba, precisamente, de una prosa que habita en la resistencia de la ficción moderna. Bordear la ficción, "aquel ficcionar fronterizo", era también bordear la modernidad. De ahí que, como advertía la propia Campos, deba ser matizada la rígida inscripción de estos relatos en el imaginario estético de la *nouveau roman* francesa (Sarraute, Robbe-Grillet, Butor, Simon…) o de la llamada narrativa del *boom* latinoamericano (García Márquez, Cortázar, Vargas Llosa, Fuentes…), dos tipos de escritura que, en todo caso, reforzaron la identidad de la ficción y contribuyeron a institucionalizar y comercializar aún más la novela moderna.

El vanguardismo controlado de la narrativa de Campos tal vez deba relacionarse con otros dos elementos: su idea sobre la "función de la novela" y su apego a una tradición de escritura femenina. En su ensayo *Función de la novela* (1973), Campos había defendido cierto rol epistemológico de la novela moderna, en la que ésta, además de constituir una visión de la realidad, producía un conocimiento sobre la misma diferente al de la

[13] *Ibid.,* p. 96.

historia, la filosofía o las ciencias sociales. Esa diferencia residía en la experiencia estética de la lectura pero, también, en la amplia difusión y recepción de mensajes y sentidos humanos que propiciaba la novela. Era lógico que semejante visión instrumental de la novela, al margen del vanguardismo de la autora, preservara el canon narrativo moderno: Balzac, Flaubert, Tolstói, Dostoievski, James, Proust, Mann, Joyce, Broch...[14]

Aun así, desde aquel temprano ensayo era evidente el propósito de Campos de explorar los límites de ese canon moderno. Explorarlos por medio de la familiaridad con poéticas arriesgadas, como la de Michel Butor en Francia o Salvador Elizondo y Juan García Ponce en México, pero también a través de la construcción de una genealogía personal de escritura femenina, como se observa en sus estudios sobre Anaïs Nin, Djuna Barnes y Virginia Woolf.[15] El vanguardismo de Campos se movía, entonces, entre una modernidad que, sin negarse a sí misma, bordea sus límites, y una conciencia de género que cuestionaba las identidades masculinas más rígidas de la tradición literaria occidental.

Algunos textos narrativos de Julieta Campos discurren, justamente, sobre esas condiciones de posibilidad de la ficción: son relatos sobre la génesis de algún relato. En *Tiene los cabellos rojizos y se llama Sabina* se observa claramente el deseo de narrar ese momento anterior a la creación de una novela, esa protonovela en la que el autor, los personajes, la trama y los escenarios son entes traslaticios y difusos que siempre mudan de esencia y lugar.[16] Pero, además de esos dispositivos ambiguos del relato, Julieta Campos narra sus referencias, sus lecturas, sus autores favoritos, sus pasiones, sus ideas políticas, en fin, su memoria personal. Así, de tanto narrar el nacimiento de una novela, el texto se convierte en su enemigo: una pieza de ficción.

[14] Julieta Campos, *Obras reunidas II. Razones y pasiones. Ensayos escogidos 2*, FCE, México, 2006, pp. 13-68.

[15] *Ibid.*, pp. 69-94; Julieta Campos, *Obras reunidas I, op. cit.*, pp. 37-40, 48-50 y 64-67.

[16] Julieta Campos, *Reunión de familia, op. cit.*, pp. 230-237.

En relatos como "La Ciudad" y *El miedo de perder a Eurídice* esta metaficción se vuelve más arqueológica que genealógica, es decir, se centra más en el encadenamiento de las referencias que en el juego con los orígenes de la trama.[17] El primero es una suerte de palimpsesto en el que pasajes de algunos escritores cubanos (Villaverde, De Laiglesia, Carpentier, Cabrera Infante y Lezama) sobre La Habana se intercalan en un retrato rigurosamente físico de "La Ciudad": cualquier ciudad —a pesar de la inconfundible atmósfera tropical y portuaria que invade la escritura y de algunas menciones muy localizadas a Wifredo Lam o a la Alameda de Paula—. El segundo es, tal vez, una de las más refinadas composiciones del insularismo literario en América Latina. Ni siquiera en Antonio S. Pedreira o en José Lezama Lima se halla una arqueología tan erudita y, a la vez, tan justificada de la representación de las islas en la cultura occidental.

Se tiene, pues, la impresión de que la prosa de Julieta Campos vive en una suerte de frontera entre el ensayo y la ficción. Si aceptáramos la idea originaria de Montaigne sobre el ensayo, y no la de Bacon, *ensayar* sería justamente lo que hace la autora de *Celina o los gatos*: narrar las inscripciones de su experiencia en la memoria y el cuerpo.[18] La cercanía de la ficción estaría dada, entonces, por el hecho de que esas inscripciones casi siempre nos remiten al trance poético en que se articula una fábula. En este sentido, textos muy ensayísticos como *De gatos y otros mundos* o las primeras páginas de *El miedo de perder a Eurídice,* más que ejercicios de erudición felina e insular, son destellos o tropismos ficcionales de los relatos que vendrán.

Creo que era María Zambrano quien observaba que aquellos escritores que se inclinaban a la confesión, es decir, los más dotados para transcribir sus memorias, eran, curiosamente, los mejores paisajistas. Michel Foucault habría argumentado que eso se debe a que el principio occidental del "conocimiento y cuidado de uno mismo", la *epiméleia/cura sui*, produce en dichos escritores una nítida representación de los paisajes del

17 *Ibid.*, pp. 238-254 y 375-416.
18 *Ibid.*, pp. 143-158.

alma.[19] Baste recordar, acaso, los "océanos, montes, astros y ríos" de san Agustín, la hiperestesia del Dante en su viaje infernal, los bosques interminables de Rousseau o las meticulosas descripciones de las casas de Beacon Hill en *Persons and Places: Fragments of Autobiography* de George Santayana.[20]

Julieta Campos alcanza, como pocos escritores latinoamericanos, una convergencia lírica entre las dos caras de la memoria: el cuerpo y sus alrededores. En esta prosa hay fragmentos densamente físicos que la crítica apresurada ha visto como asunciones estilísticas de una "narración objetiva" a lo Sarraute o Butor y no como juegos con las formas reminiscentes de un Proust o un Faulkner. Pienso en algunos de sus personajes más abstractos y, a la vez, más tangibles: la ciudad, el agua, la humedad, el mar, una isla, un puerto, los gatos, las mujeres, los acantilados, la escritura. Pienso en aquel sopor, el mismo que encontramos en *Aire frío* de Virgilio Piñera, interrumpido a ratos por un café con leche o un balanceo de sillón, que desplaza a sujetos borrosos como Eloísa, Laura y Andrés, y se convierte en el verdadero protagonista de *Reunión de familia*.[21] Sería difícil no ver también en ese sopor el tedio de aquellas almas caribeñas, que maldicen el calor y pasean lentamente por el malecón con una curiosidad erótica irrefrenable.

Sin embargo, en algún lugar, esta narrativa exterior de Julieta Campos funciona como un testimonio del reverso de la memoria, del *oblivium*. En "El Bautizo" y en "La Ciudad", en *Tiene los cabellos rojizos…* y en *El miedo de perder a Eurídice*, las ciudades, los puertos y las islas son territorios del olvido: imágenes evanescentes que sólo pueden ser recuperadas por medio de la escritura. Sus habitantes, nos dice:

> pierden la noción del tiempo [y] no queda más remedio que
> construir una muralla de palabras…, porque las palabras tienen

[19] Véase Michel Foucault, *Tecnologías del yo*, Paidós, Barcelona, 1990.
[20] George Santayana, *The Last Puritan. A Memoir in the Form of a Novel*, The MIT Press, Cambridge, 1995, pp. 21-26.
[21] Julieta Campos, *Reunión de familia*, *op. cit.*, pp. 65-100.

AL OTRO LADO DE LA FICCIÓN

esa ventaja sobre el ladrillo y la piedra: ni la pica, ni la labor erosiva de los elementos, son aptas para demolerlas. Por eso hay que seguir buscando las palabras; palabras que le roben algo de su ser a la ciudad para depositarlo en un lugar seguro [...].[22]

La ciudad es, en fin, su reconstrucción literaria y el escritor no hace más que juntar y esparcir palabras para que esa tenue luminosidad no se apague en el tiempo. He aquí, pues, una alegoría tan antigua como moderna: el letrado como artista de la memoria, como testigo-mártir de la ciudad. Tal vez por eso, al releer estas páginas de Julieta Campos vienen a la mente aquellas palabras que, a mediados del siglo XIX, le dedicara la condesa de Merlín a La Habana colonial: "ya lo veis; a esta ciudad le falta la poesía de los recuerdos; sus ecos sólo repiten la poesía de la esperanza. Sus edificios no tienen historia..."[23] Desde entonces, desde aquella época en que los primeros románticos visitaban estos tristes trópicos, la literatura ha sido practicada, acaso inútilmente, como un ritual memorioso, como un acto de brujería contra la muerte y el olvido.

A fines de los años setenta, la literatura de Julieta Campos comienza a interesarse por la restitución de esa historia perdida. El tránsito entre el relato de no ficción de "Muerte por agua" (1965) y la novela histórica *La forza del destino* (2003) podría localizarse, precisamente, en *El miedo de perder a Eurídice,* una noveleta de 1979 dedicada a Octavio Paz. El texto comenzaba con una declaración de voluntad, "yo voy a contar una historia", para luego internarse en una reescritura de la creación bíblica: Adán y Eva se mudan del Paraíso Terrenal a la isla Utopía y ahí comienza, realmente, la historia de la humanidad.[24] El insularismo de Campos, adelantado en un texto tan caribeño como *Tiene los cabellos rojizos y se llama Sabina,* adquiere aquí, como decíamos, una connotación multirreferencial.

[22] *Ibid.,* p. 252.
[23] Condesa de Merlín, *Viaje a La Habana,* Editorial de Arte y Literatura, La Habana, 1974, p. 116.
[24] Julieta Campos, *Reunión de familia, op. cit.,* p. 381.

Campos recorre buena parte del discurso histórico, poético y filosófico sobre las islas (Petrarca, Píndaro, Hesíodo, Dante, Colón, san Juan de la Cruz, Moro, Rousseau, Nietzsche...) para desembocar en algunas alusiones al insularismo lezamiano.[25] Pero no es únicamente Lezama la referencia que permite enlazar este relato alegórico con Cuba: la insistencia con que Campos relaciona lo insular con lo utópico y la apelación a la "pérdida de Eurídice" establece también una conexión subterránea con la realidad cubana. Cuando el Alter ego escriturario de Campos, Monsieur N., llega a la plenitud del saber insularista, y escribe su "nómina insularum inventarum", se produce un proceso por el cual la isla, al ser nombrada, termina siendo inventada.[26]

El miedo de perder a Eurídice se traslada de las islas del mar Egeo a las islas del mar Caribe: ese "Caribe crepuscular, que no es uno solo, que es un mito y es Utopía y es la isla de Robinson".[27] Y la misma Eurídice, que Orfeo trata de rescatar de los infiernos, pero a costa de no mirarla antes de la salida del sol, parece ser, entonces, una alegoría de Cuba. Orfeo, el poeta, o Campos, la narradora, aman a Eurídice, quieren revivirla, luego de la mordida de la serpiente, y buscan devolverla a la tierra. El miedo a perder la isla está, entonces, asociado con el impulso de mirar de frente a Eurídice antes del alba. Un miedo ligado, pues, a la conciencia de no poder soportar la tentación de esa mirada y arriesgar, con ello, la resurrección de la isla.

Entre *Reunión de familia* (1997) y *La forza del destino* (2003) la narrativa de Julieta Campos da el salto de la realidad a la ficción y, a la vez, de la utopía a la historia, como si siguiera al pie de la letra la teoría sobre la configuración del tiempo en el relato desarrollada por Paul Ricoeur.[28] Si en los relatos juveniles Cuba aparecía como una isla evanescente, anclada en la ensoñación tropical, en su novela de madurez Campos se interna

---

[25] *Ibid.*, p. 406.
[26] *Ibid.*, pp. 488-489.
[27] *Ibid.*, p. 309.
[28] Paul Ricoeur, *Tiempo y narración*, Siglo XXI Editores, México, 1995, t. I, pp. 335-364; t. II, pp. 469-532.

AL OTRO LADO DE LA FICCIÓN

en la historia insular por la vía de la memoria familiar. La memoria de su familia se confunde, ahora, con la historia de su país, desembocando en una realidad que no es, ya, aquella presencia objetiva que tenía lugar al otro lado de la ficción, sino el devenir de una nación caribeña donde la utopía ha sido rebasada por la historia.

Utopía y desencanto

La historia de Cuba, como la de cualquier país latinoamericano, ha sido una sucesión de descalabros que interrumpen y trastornan el devenir nacional. Eso que, a riesgo de una abstracción monstruosa, podríamos llamar "tiempo cubano" tradicionalmente se divide en tres edades: la colonial, que va desde la conquista española, en 1492, hasta el fin de la Capitanía General en 1898; la republicana, que se inicia con el cese de la primera intervención de los Estados Unidos, en 1902, y culmina con la huida del dictador Fulgencio Batista en diciembre de 1958 y, por último, la revolucionaria, que arranca el 1º de enero de 1959 y que, a fuerza de reproducir simbólicamente su persistencia, llega hasta nuestros días.[29]

Esas tres edades se superponen de un modo violento, sin apenas dejar rastros de una época en otra, bajo el constante zarandeo de guerras civiles e invasiones extranjeras, dictaduras y revueltas, inmigraciones y exilios. Pero aunque nunca haya habido paz en la historia de Cuba, esa alteración del tiempo se ha intensificado con el paso de los siglos. La relativa estabilidad de las dos primeras centurias coloniales fue interrumpida, a mediados del siglo XVIII, por la racha de conflictos que se abrió con las guerras atlánticas y se cerró con las independencias latinoamericanas. Entre 1868 y 1898, Cuba experimentó tres

[29] Para una historia sintética de las rupturas del tiempo colonial y poscolonial en Cuba, véase Manuel Moreno Fraginals, *Cuba/España. España/Cuba. Historia común*, Crítica, Barcelona, 1995, y Hugh Thomas, *Historia contemporánea de Cuba*, Grijalbo, Barcelona, 1973.

guerras anticoloniales y la última de ellas, organizada por José Martí desde Nueva York, finalizó con una ocupación estadunidense. Si la Colonia duró cuatro siglos, la República, con sus dos dictaduras —la de Machado y la de Batista— y sus dos revoluciones —la de los treinta y la de los cincuenta— duró apenas cincuenta y seis años. En la que parece ser una regla del emparejamiento gradual de los lapsos históricos, la Revolución —entendida como periodo, como tercera edad del tiempo cubano— acaba de rebasar el medio siglo.

¿Cómo narrar un tiempo nacional tan accidentado y quebradizo? La dificultad tal vez haya condicionado el déficit de narrativa histórica que, hasta 1992 por lo menos, como ha estudiado Seymour Menton, distinguía a la literatura cubana frente a otras literaturas del continente, como la mexicana, la colombiana, la argentina o la brasileña, tan proclives al diálogo entre historia y ficción. La novela histórica cubana contemporánea, género muy practicado en los últimos años dentro y fuera de la isla, aborda, por lo general, breves momentos del pasado de Cuba, como los años veinte y treinta del siglo XIX en *Mujer en traje de batalla* de Antonio Benítez Rojo, la visita del tenor italiano Enrico Caruso a La Habana de la primera posguerra en *Como un mensajero tuyo* de Mayra Montero, la rebelión de José Antonio Aponte en 1812 en *La biblia perdida* de Ernesto Peña González, o bien explora ciertas zonas del pasado de otros países, más históricamente narrables, como las peripecias centroamericanas del aventurero William Walker en *El hombre providencial* de Jaime Sarusky o la picaresca española del Siglo de Oro en *Al cielo sometidos* de Reynaldo González.

Sin embargo, antes de la última ola de novela histórica, en la que se inscriben autores tan disímiles como Leonardo Padura, Zoé Valdés, María Elena Cruz Varela o Luis Manuel García, la literatura cubana conoció algunos proyectos de narración integradora del tiempo cubano, no siempre exitosos, como *Vista del amanecer en el trópico* de Guillermo Cabrera Infante, *La consagración de la primavera* de Alejo Carpentier o *Los niños se despiden* de Pablo Armando Fernández. A esta última tradición clásica pertenece, por su largo aliento y su densidad histórica, el libro *La forza del destino* de Julieta Campos: un recuento de los anales de la isla a través de catorce generaciones de una familia criolla. Con esta novela, la autora cubano-mexicana de aquellos textos evanescentes y abstractos que forman *Reunión de familia,* desplaza su poética hacia una escritura que, al decir de Arcadio Díaz Quiñones, aspira a la memoria integradora de la nación cubana.[30]

En una réplica inconclusa del devenir de la isla, la novela también está dividida en tres tiempos, sólo que el segundo corresponde al siglo XIX, la época de formación cultural y política de la nacionalidad cubana, mientras que el tercero únicamente abarca la primera mitad del siglo XX, esto es, el periodo republicano poscolonial. La narración histórica de Julieta Campos culmina, pues, en La Habana de la década de 1950, vísperas de la Revolución y el Exilio, acaso como protesta sutil contra el mesianismo de una nueva era que hizo tabla rasa del pasado y se atribuyó el renacimiento del Estado nacional.[31] Por medio de un juego discursivo, que habría sorprendido a Paul Ricoeur, la autora logra que la extensión de los tres tiempos de la novela equivalga a la extensión de los tres tiempos de la historia de Cuba. Misteriosamente, el tiempo de la historia y el tiempo de la ficción eluden aquí sus determinaciones rígidas y excluyentes y alcanzan una duplicidad que nos atrae y nos inquieta.

La clave del misterio de esa duplicación de los tiempos se halla en el sujeto de la narración histórica emprendida por Julieta Campos: la familia De la Torre, un linaje que se forma en la España de los Reyes Católicos, con hidalgos que intervienen en la expulsión de los moros de Andalucía, y que en el siglo XVI se traslada a Cuba, dando lugar a una perdurable descendencia criolla que habitará Puerto Príncipe (Camagüey) en los siglos XVII y XVIII, Santiago de Cuba y Matanzas en el siglo XIX y, final-

[30] Arcadio Díaz Quiñones, *Cintio Vitier: la memoria integradora,* Ediciones Huracán, San Juan, Puerto Rico, 1987.

[31] Julieta Campos, *La forza del destino,* Alfaguara, México, 2003, pp. 92-97 y 757-771.

mente, La Habana, en la primera mitad del siglo XX. La saga familiar desemboca en la narradora, Julieta Campos, sobrina nieta del eminente naturalista cubano Carlos de la Torre, justo cuando la historia de Cuba está a punto de experimentar su mayor trastorno, la Revolución de Fidel Castro, que bruscamente cortará los hilos que ataban la Colonia y la República, al siglo XIX con el siglo XX.

Dos figuras marcan el principio y el fin de este linaje, María de la Torre, generatriz del clan criollo a fines del siglo XVI, y Carlos de la Torre, el célebre biólogo, geólogo, paleontólogo y político cubano, discípulo de Felipe Poey, a quien se deben algunos de los principales hallazgos de la ciencia insular y quien fuera fundador y presidente de la Sociedad Cubana de Historia Natural y rector de la Universidad de La Habana en los años veinte del pasado siglo. En buena medida, Julieta Campos concibe su novela como un diálogo con María de la Torre, la fundadora del linaje, en el cual la identidad de la escritora se afirma por medio de la misión de transcribir la leyenda familiar. Una leyenda que son muchas leyendas, una historia de historias o, más bien, fragmentos de alguna historia dispersa, inconclusa, que la autora escribe a retazos, como si siguiera el dictado secular que le transmite María de la Torre desde el Camagüey de Felipe II. En ese relato familiar, que bordea el gran relato de una historia nacional, el sabio Carlos de la Torre aparece como el último eslabón del linaje, como la última rama de una genealogía que, en las primeras décadas republicanas, se ha confundido ya con la propia genealogía de la nación cubana.[32]

A través del memorial de una familia criolla, la novela de Julieta Campos persigue múltiples líneas de parentesco o de vínculos afectivos que van a parar, como afluentes de un mismo río, a personalidades y sucesos emblemáticos de la historia de Cuba. Así, en esta suma de parentescos aparecen, como miembros de una gran familia nacional, Silvestre de Balboa y su *Espejo de paciencia*, la primera obra de la literatura cuba-

[32] *Ibid.*, pp. 586-610.

na, la toma de La Habana por los ingleses en 1761 y los más importantes intelectuales y políticos del siglo XIX: el sacerdote republicano Félix Varela, el conspirador anexionista Gaspar Betancourt Cisneros, el pedagogo y filósofo José de la Luz y Caballero, el pensador positivista Enrique José Varona o los caudillos separatistas Carlos Manuel de Céspedes, Ignacio Agramonte, Antonio Maceo y Máximo Gómez. Por medio de una prima del siglo XIX, Carmen Zayas Bazán, Julieta Campos retrata al esposo, el joven poeta y revolucionario José Martí, quien escribe poemas y cartas de amor desde Progreso, Yucatán, y años más tarde, en Nueva York, abandona a su familia de sangre por otra familia mayor, la de la República cubana.[33]

Entre parentescos y noticias, la novela repasa las guerras de independencia, la emigración cubana en los Estados Unidos, las intervenciones estadunidenses de 1898 y 1906, las pugnas poscoloniales entre caudillos y caciques, la corrupción de la política republicana, el conflicto racial de 1912, los gobiernos de Estrada Palma, Gómez, García Menocal y Zayas, la dictadura de Gerardo Machado, la revolución de 1933, la Asamblea Constituyente de 1940, los gobiernos auténticos de Grau y Prío y, finalmente, la dictadura de Fulgencio Batista. De manera que el cauce primordial de la historia colonial y republicana de Cuba es recorrido a través de las múltiples tramas afectivas que propone esta novela. Pero la narración de los grandes hechos y la semblanza de los grandes personajes son ladeadas, oblicuas, tangenciales, como si el relato familiar convirtiera en rumores o resonancias domésticas la feroz epopeya que se libraba más allá de las paredes de una casa. Algo hay aquí de microhistoria, sólo que el pequeño lugar, la gota de océano, desde donde se narra no es una aldea, como el Montaillou de Emmanuel Le Roy Ladurie o el San José de Gracia de *Pueblo en vilo* de Luis González, sino el linaje De la Torre, atravesando cinco siglos de la historia de Cuba.

Como la ópera de Verdi, que le regala el título, esta novela

[33] *Ibid.*, pp. 550-553.

comienza con una obertura de voces que no logran componer un coro, sino, más bien, una superposición de cantos personales. Esas voces, entre las que encontramos lo mismo a políticos como José Martí y Fidel Castro que escritores como José Lezama Lima y Virgilio Piñera, articulan el lenguaje caótico e incoherente de la tribu cubana.[34] Sin embargo, ese coro disonante, compuesto de múltiples voces afirmativas, siempre en primera persona, tiene un motivo recurrente: el naufragio de la utopía, el desencanto de una comunidad llamada, desde el siglo XIX, a cumplir una misión trascendental en el equilibrio del mundo. La reflexión sobre el fracaso del destino revelado de la nación cubana, esa misión providencial encomendada a la isla, desde las páginas del *Diario* de Colón hasta las de José Martí en tantas cartas y discursos, es uno de los subtextos más apasionantes de esta novela.

La eterna tensión entre utopía y desencanto, tan bien captada por Claudio Magris, se insinúa en la novela por medio del personaje de Carlos de la Torre, el último heredero del linaje criollo, que ha trocado el patrimonio familiar en sabiduría nacional.[35] A través del hallazgo de los restos de un mamífero del pleistoceno, el gigante perezoso de la prehistoria insular, De la Torre confirma la tesis de que, en sus orígenes, la isla estuvo adherida a la masa de tierra del continente americano.[36] Esta ausencia de una insularidad originaria, según uno de los personajes de la novela, es un dato que presagia el desencanto de la utopía, ya que alude a la imposibilidad de encontrar una comunidad radicalmente distinta en el mundo occidental. Siempre hay algo angustioso, piensa la autora, o asfixiante en esa insularidad paradigmática, en ese querer fijarse como sino el encierro entre muros de agua. A la manera de Virgilio Piñera, en *La isla en peso*, Julieta Campos vuelve a plantearnos el dilema

[34] *Ibid.*, pp. 11-50.
[35] Claudio Magris, *Utopía y desencanto*, Anagrama, Barcelona, 2001, pp. 7-22.
[36] Julieta Campos, *La forza del destino*, *op. cit.*, pp. 611-636.

AL OTRO LADO DE LA FICCIÓN

del límite en la cultura cubana, aquella "maldita circunstancia del agua por todas partes".

La forza del destino ofrece a la crítica y la historiografía cubanas un excelente pretexto para repensar las complejas relaciones entre Familia y Estado en esa pequeña nación caribeña. Es paradójico que una cultura como la cubana, que careció de las tradiciones estamentales y corporativas de los antiguos regímenes virreinales, que tuvo un mestizaje acelerado en el siglo XIX y que en el siglo XX experimentó dos grandes modernizaciones exógenas, la estadunidense y la soviética, sea tan dada al culto familiar, a cierta mentalidad nobiliaria, asociada a un imaginario aristocrático y genealógico que contrasta con el aburguesamiento de la República y con el igualitarismo de la Revolución. Dos evidencias intelectuales de esta paradoja son la monumental *Historia de familias cubanas* de Francisco Xavier de Santa Cruz y Mallén, conde de San Juan de Jaruco y de Santa Cruz de Mopox, que tanto aprovechó Julieta Campos en la redacción de su novela, y el mito familiar de *Orígenes*, esa sintomática restitución del linaje espiritual de la nación cubana que ha sido tan bien descrita por Lorenzo García Vega y Antonio José Ponte.

Pero los De la Torre, a diferencia de otros célebres linajes de la literatura moderna, como los Karamazov o los Buendía, carecen de maldición, de tara o de legado mítico. De hecho, la historia filial que nos cuenta Julieta Campos es tan discontinua y zigzagueante como la propia historia de la isla. Lo único permanente y continuo entre tanta fuga y desvío es esa tenue línea de sangre que se extiende desde María de la Torre, en el siglo XVI, hasta Carlos de la Torre, en el siglo XX. El lento avance de esa línea de sangre se confunde con el tiempo mismo de la familia y de la isla y se erige en el único tópico inteligible de tantas evocaciones, personajes y escenas. El tiempo que transcurre con la lentitud de un espeso río y la memoria que testifica un acervo filial son los dos grandes temas de esta novela. Ambos, el tiempo y la memoria, levantan el puente intelectual que comunica aquellos relatos ensimismados y contemplativos de

Reunión de familia con la prosa serena y elocuente de *La forza del destino*.

En las primeras páginas de la novela, la obertura titulada "El día en que se instaló la niebla", y las últimas, el *grand finale*, titulado "Las arenas del naufragio", el concepto de utopía no aparece contrapuesto al de desencanto sino al de naufragio. Lo curioso es que Campos imagina el naufragio de la utopía no como un colapso o una ruptura de la historia sino como una desaceleración del tiempo insular. Luego de recordar a Goethe, autor admirado por el naturalista Carlos de la Torre, quien decía que la novela era "el género de la lentitud, de lo despacioso, de la duración morosa", Campos concluye su ejercicio narrativo con la sugerencia de que, finalmente, la historia de Cuba ha entrado en un proceso de ralentización:

> Busco en el María Moliner, y me tropiezo con *lenteza* y *lentura*. Hermosas palabras que hemos olvidado. Goethe se las merece. Me complace rescatarlas. *Lenteza*: forma arcaica de decir *lentitud*. *Lentura*: flexibilidad de árboles y arbustos. Juego. Me digo: las hojas del libro se desprenderán, con *lenteza*, de la *lentura* propicia de un vetusto árbol genealógico. El único tema es el tiempo. Nuestra pequeñez frente al tiempo. Nuestro desamparo frente al tiempo. Nuestra grandeza frente al tiempo. La pertinencia de no olvidar que mañana empezó hace mil años. Faulkner *dixit*.[37]

El naufragio de la utopía es entendido por Julieta Campos como un desembarco en otra isla: la de un tiempo indefinido. Un tiempo que ha abandonado, finalmente, sus anclajes coloniales, republicanos y revolucionarios: un cuarto tiempo sin nombre ni significación precisos para Cuba. Frente a una historia marcada por las épocas del Estado, Campos, en aquella última novela, parecía contemplar la posibilidad de una historia comunitaria, en la que los ciudadanos viven vidas sin subordinar sus múltiples sentidos a una cronología oficial.

[37] *Ibid.*, pp. 770-771.

Esa otra isla, esa otra Cuba, cantada no por una o dos voces, sino por la algarabía plural de los cubanos del siglo XXI, fue vislumbrada por la autora de *La forza del destino* desde su exilio mexicano.

Quien esto hacía era una escritora de vanguardia, exiliada y de izquierda. Para comprobarlo no habría más que repasar su ardua crónica *¿Qué hacemos con los pobres?* (1994), en la que recapitulaba críticamente las causas económicas, sociales y políticas de la rebelión zapatista de Chiapas y cuestionaba la visión milagrosa con la que el gobierno mexicano había impulsado la firma del Tratado de Libre Comercio con los Estados Unidos.[38] Campos apostaba entonces por la articulación en México de una izquierda democrática y moderna, que sin abandonar el pluralismo y la tolerancia, asumiera responsabilidades políticas ante la desigualdad y la pobreza. La escritora de ficciones fronterizas era también una crítica pertinaz de las ficciones políticas de la derecha. Izquierda, exilio y vanguardia, tres conceptos con frecuencia divorciados, se entrelazaban en la poética y la política de Julieta Campos.

---

[38] Julieta Campos, *Obras reunidas II, op. cit.*, pp. 195-204.

VI. La prole de Virgilio

EL POETA, narrador, dramaturgo y ensayista Virgilio Piñera murió en La Habana, en 1979, marginado y aborrecido por buena parte del medio intelectual cubano, entonces regido por una ideología marxista-leninista, formulada en términos muy similares a los de la Unión Soviética desde la época de Stalin, y vertebrado en torno a autores canónicos como Nicolás Guillén y Alejo Carpentier, comunistas antes y después del triunfo de la Revolución de 1959. Piñera, en cambio, además de homosexual y ateo, había sido crítico del marxismo y el comunismo antes de 1959 y del dogmatismo y la intolerancia en las dos décadas que vivió bajo el socialismo insular.

A pesar de su rareza en un campo intelectual predominantemente católico y burgués, antes de la Revolución, y marxista y comunista después de la misma, Piñera fue un escritor fundamental de la vida literaria cubana entre 1941 —año de publicación de su primer poemario, *Las furias,* en la editorial de la revista *Espuela de Plata,* dirigida por sus amigos José Lezama Lima, Guy Pérez Cisneros y Mariano Rodríguez— y 1969, cuando al premio Casa de las Américas, otorgado por su pieza teatral *Dos viejos pánicos* (1968) el año anterior, se sumó la edición de *La vida entera* (1969), su último cuaderno de poesía publicado, literalmente, en vida.

La centralidad de Virgilio Piñera en el campo intelectual cubano durante aquellas tres décadas no sólo estuvo asegurada por una provocadora y nutrida obra poética, narrativa y ensayística —el poemario *La isla en peso* (1943), la novela *La carne de René* (1952), los relatos de *Cuentos fríos* (1956)—, o por una constante presencia en la escena teatral cubana, a pesar de los catorce años de su exilio intermitente en Buenos Aires, sino por una intervención sostenida en los debates literarios de la isla, recogidos por publicaciones como *Orígenes, Gaceta del Caribe* y *Ciclón,* antes de 1959, y *Lunes de Revolución, La Gaceta de Cuba* y *Unión* después de la llegada de Fidel Castro al poder.

En las páginas que siguen quisiera reconstruir, a grandes rasgos, el proceso de reubicación de Virgilio Piñera en el canon cubano que inicia a fines de los años ochenta del pasado siglo. La principal presión a favor del rescate de Piñera fue ejercida, como veremos, por varios escritores desde la isla —Antón Arrufat, Abilio Estévez, Antonio José Ponte, Víctor Fowler...— que admiraban al autor de *La isla en peso* y que reaccionaban críticamente a la reivindicación oficial de *Orígenes,* bajo los criterios estéticos e ideológicos de Cintio Vitier, figura que ocupó, en las últimas décadas del siglo xx, un lugar central en el aparato de legitimación del socialismo cubano.

La visión nacionalista, católica y homófoba de Vitier sobre la literatura de Piñera —plasmada, por lo menos, en cuatro textos suyos: la reseña sobre *Poesía y prosa* (1944), en el número de la primavera de 1945 de *Orígenes,* las semblanzas de Piñera en las antologías *Diez poetas cubanos* (1948) y *Cincuenta años de la poesía cubana* (1952) y las seis páginas que le dedica en *Lo cubano en la poesía* (1958)— volvió a circular en La Habana de la década de 1990, a través del propio Vitier o sus discípulos, generando la reacción de la prole virgiliana.[1] La identidad genealógica de esa prole, heterogénea en sus poéticas y políticas, se formó, pues, dentro de una atmósfera de réplica discursiva a la canonización oficial de José Lezama Lima y *Orígenes,* promovida por el propio Vitier y el Ministerio de Cultura de la isla.

[1] Cintio Vitier, *Orígenes,* año II, núm. 5 (primavera de 1945), pp. 47-50; *Diez poetas cubanos,* Ediciones Orígenes, La Habana, 1948, pp. 79-80; *Cincuenta años de la poesía cubana,* Dirección de Cultura del Ministerio de Educación, La Habana, 1952, p. 334; *Lo cubano en la poesía,* Instituto del Libro, La Habana, 1970, pp. 477-484.

Este ensayo es una breve reconstrucción de los debates sobre la obra de Piñera, en el campo intelectual cubano, durante
las dos últimas décadas. Pero quisiera ser también una constatación del legado vivo de Piñera en la literatura contemporánea
cubana, especialmente en la nutrida, variada y, a la vez, con-
gruente obra de Antón Arrufat (Santiago de Cuba, 1935). La
poesía, la narrativa, el teatro y los valiosos ensayos sobre literatura cubana de los siglos XIX y XX, del autor de *Los siete contra
Tebas* (1968), son, tal vez, el mejor indicio de la pervivencia de
una poética en sus sucesores.

No sé si Arrufat asuma una inscripción en el legado de Piñera, similar a la que declaró Severo Sarduy en relación con
Lezama —"inscribo, en esta patria que es la página, en minús-
culas y sobre una cifra, mi paso por la Era Lezama"—, pero su
obra es, en buena medida, una prueba ontológica de la existencia de Piñera como referente de la literatura cubana contemporánea. La "luz espejeante" de Piñera, para usar la fórmula que Enrico Mario Santí aplica a la recepción de Octavio Paz
en la literatura mexicana de hoy, se refleja en los textos de Antón Arrufat.[2]

La extraña latitud

En un sintomático ensayo, titulado *Virgilio Piñera: entre él y yo*
(1994), Antón Arrufat fecha en 1986 el primer homenaje pós-
tumo a Virgilio Piñera, en Cuba, siete años después de su muerte. En ese texto, mitad memoria, mitad relectura, como los buenos ensayos, Arrufat reconstruía las tertulias de la década de
1970 en las que se reunían Abelardo Estorino, Olga Andreu,
José Triana, el propio Piñera y otros intelectuales marginados a
leer poesía y teatro. La descripción que hace Arrufat de aquellos encuentros permitiría imaginar no sólo el tipo de sociabili-

---

[2] Enrico Mario Santí, *Luz espejeante. Octavio Paz ante la crítica,* Era, México, 2009, pp. 11-13.

dad intelectual que se producía en los bordes de la ciudad letrada de la isla sino la adaptación de la escritura a un orden social y político excluyente:

> Situados por la burocracia y la dirigencia política del país en esa "extraña latitud" de la muerte en vida, estas tertulias poseían un valor único: nos devolvían —momentáneamente— el ser. Al reunirnos como lo que realmente éramos, al reconocernos entre nosotros, la "extraña latitud" impuesta desaparecía por unas horas. Estas reuniones nos proporcionaban, además, la felicidad de estar juntos, conversar, leernos en nosotros mismos y en los demás.[3]

Más adelante, Arrufat argumentaba que aquella "extraña latitud" de la muerte civil se convertía, inevitablemente, en una condición de posibilidad para la escritura:

> Y era otra dicha comprobar que, pese a la marginación social del momento, la energía creadora no había sido extinguida. Durante esas lecturas estábamos justificados ante nosotros mismos, en virtud del reconocimiento de los demás. Fluía nuestra única y verdadera vida, centrada en la creación literaria. Bastaba con que el resto de los asistentes a la tertulia nos escuchara, para que se mantuviera activo y real nuestro ser.[4]

La "extraña latitud" comenzaría a dejar de ser tal en 1986, no sólo para el propio Piñera, en la muerte, sino para Antón Arrufat mismo, en vida. A partir del año siguiente, la obra de Piñera comenzó a ser editada regularmente en la isla: en 1987 la editorial Letras Cubanas publicó dos libros de cuento: *Un fogonazo* y *Muecas para escribientes*. En 1988 apareció el volumen de poesía inédita, *Una broma colosal* (Unión, La Habana),

[3] Antón Arrufat, *Virgilio Piñera: entre él y yo,* Unión, La Habana, 1994, p. 45.
[4] *Ibid.,* pp. 45-46.

con prólogo de Arrufat, en el que se rastreaba la presencia de José Jacinto Milanés, Juan Clemente Zenea y Julián del Casal en la última lírica piñeriana. En 1992 vieron la luz dos libros más de la narrativa inédita de Piñera en La Habana: *Algunas verdades sospechosas* (Abril), con prólogo de Salvador Redonet, y *El viaje* (Unión), con prólogo de Mirta Yáñez. Con la edición del *Teatro inédito* (Letras Cubanas, La Habana, 1993) y de la poesía casi completa en el volumen *La isla en peso* (Unión, La Habana, 1998), también prologado por Arrufat, una buena parte de la obra de Piñera quedó rescatada editorialmente para el público de la isla.

En esos mismos años también la obra narrativa, poética y dramatúrgica —el mismo perfil multigenérico de Piñera— de Antón Arrufat comenzó a ser reivindicada en la isla. Tras la publicación de la novela, catorce años vetada, *La caja está cerrada,* en 1984, que obtuvo el Premio de la Crítica en ese año, la literatura de Arrufat comenzó a ser regularmente editada: en 1986 apareció una compilación de su poesía, bajo el título *La huella en la arena;* en 1987, su extraordinario volumen de ensayos *Las pequeñas cosas;* en 1988, los relatos de *Qué harás después de mí,* y entre este último año y 1995, varias piezas de teatro como *La tierra permanente, Cámara de amor* y *La divina Fanny.* El citado ensayo *Virgilio Piñera: entre él y yo* (1994) reflejaba esa salida a la luz, toda vez que Arrufat no sólo exponía, públicamente, la estética de su maestro y amigo sino también su homosexualidad.[5]

Aunque tal vez sea el primogénito de aquel linaje, Arrufat no es el único escritor cubano que, de la década de 1990 para acá, ha reclamado para sí el magisterio y la poética de Piñera. Abilio Estévez, también dramaturgo, poeta, narrador y ensayista, también amigo y discípulo de Piñera, ha dejado más de un testimonio de su pertenencia a esa estirpe. Su obra de teatro *La verdadera culpa de Juan Clemente Zenea* (Unión, La Habana, 1987) debe más a la visión piñereana de Zenea, plasmada en *Una*

[5] *Ibid.*, p. 50.

broma colosal (1988), que al ensayo *Rescate de Zenea* de Cintio
Vitier, aparecido el mismo año de la obra teatral de Estévez,
también en la editorial Unión. En su *Inventario secreto de La
Habana* (2004), Estévez da cuenta de su relación intelectual
con Piñera y de la marca del autor de *La carne de René* en su
propia literatura.[6]

Tras su muerte, Virgilio Piñera comenzó a sobrevivir como
figura de culto y como personaje literario. Dos poetas cubanos, uno desde la isla, César López, y otro desde el exilio, Severo Sarduy, le dedicaron poemas. El primero, en "Truenos en
el Olimpo porque Virgilio Piñera ha muerto", escribió "no hubo
toque ni ritmos escabrosos/como lo presintiera (mulatos fáli-
cos) (falos mulaticos),/mulaticos con falos prominentes, promi-
nencia/en la Mesopotamia y en Camagüey,/en Santiago, en
Buenos Aires y en Guanabo".[7] Sarduy, desde París, pidió iróni-
camente la canonización de Virgilio Piñera, escritor ateo y anti-
clerical: "insisto empero/para que tenga sitio en los altares/este
mártir de arenas insulares./Por textual, su milagro verdade-
ro/dio presa fácil a los cabecillas/y a los sarcasmos que, de
tanto en tanto,/interrumpen las furias amarillas,/las madres
del exilio y del espanto".[8]

Otro joven poeta habanero, Alberto Acosta Pérez, escribió
un "Poema por Virgilio Piñera", dedicado a Antón Arrufat y a
Abilio Estévez, que seguía el formato de la ofrenda de los juegos florales, en la que el maestro recitaba y el discípulo lo co-
ronaba. Al final, el espectáculo adoptaba la atmósfera de una
farsa, como las propias obras piñerianas, en la que el homena-
jeado no era un héroe o un Cristo sino una inversión de todo
rol paradigmático. El poema de Acosta Pérez era bastante emblemático de la recepción de Virgilio Piñera en La Habana de
la década de 1980: una recepción portadora de otra política

[6] Abilio Estévez, *Inventario secreto de La Habana*, Tusquets, Barcelona,
2004, pp. 173-190.

[7] Ángel Esteban y Álvaro Salvador, *Antología de la poesía cubana*, t. IV,
Verbum, Madrid, 2002, p. 223.

[8] *Ibid.*, p. 264.

intelectual, aquella que, en lugar del compromiso con el poder, demandaba el compromiso con el arte de la escritura:

> Tú reías azorado: "todo esto es solo polvo de la
> vida. Vamos, hagamos un opening fastuoso".
> Leías declamando tus poemas.
> En realidad todo me lo sugirió el arco voltaico de tus ojos:
> "la libertad es una paradoja, un país de nadie
> déjame olvidar esa palabra".
> Aquí traigo bellas flores blancas para Kavafis.
> Jamás nadie pagó tanto.
> Y para ti, una rosa de miedo, una rosa genuflexa,
> la flor de las alucinaciones,
> porque tú no eres la pureza y ahora somos dos
> los que nos confesamos en tus versos.[9]

En aquellos mismos años —fines de la década de 1980 y principios de la de 1990— en que comenzaba a reeditarse a Virgilio Piñera en La Habana, dos importantes escritores exiliados, Guillermo Cabrera Infante y Reinaldo Arenas, vindicaron también la literatura del gran dramaturgo cubano. Cabrera Infante había escrito su extraordinaria evocación de Lezama y Piñera, "Tema del héroe y la heroína", en 1980, a raíz de la muerte del segundo. Ese texto reapareció, corregido y ampliado, en *Mea Cuba* (1993), la colección de los ensayos de Cabrera Infante, y luego en *Vidas para leerlas* (1998).[10] Reinaldo Arenas, por su lado, incluyó una semblanza de Piñera en *Antes que anochezca* (1992), que compartía con la de Cabrera Infante una insistencia en cuatro elementos de la obra del narrador de *Cuentos fríos:* la homosexualidad, el anticomunismo, el ateísmo y la entrega en cuerpo y alma a la literatura.[11]

[9] *Ibid.,* p. 437.
[10] Guillermo Cabrera Infante, *Mea Cuba,* Vuelta, México, 1993, pp. 405-443.
[11] Reinaldo Arenas, *Antes que anochezca,* Tusquets, Barcelona, 1992, pp. 105-108.

La recuperación del legado de Virgilio Piñera, su salida de aquella "extraña latitud" de la muerte civil, de que hablaba Arrufat, se convirtió en un asunto vital para las nuevas generaciones de escritores de la isla. Abilio Estévez, tal vez el más joven de los escritores cubanos que llegó a tener una relación con Piñera en vida, no fue el único que salió en defensa de su amigo y maestro en aquellos años. Víctor Fowler dedicó un agudo comentario a la novela *La carne de René* en su libro *La maldición. Una historia del placer como conquista* (1998), un conjunto de ensayos sobre homosexualidad y homoerotismo en la construcción nacional cubana.[12] Antonio José Ponte, escritor que por entonces no rebasaba los treinta años, y que no conoció a Piñera, escribió varios artículos y ensayos en los que propuso una relectura de Julián del Casal y Virgilio Piñera, como autores cuya escritura estaba más referida a una estética que a una ideología.

Aquellos textos, "El libro perdido de los origenistas" (*La Gaceta de Cuba,* 1992), "Casal contemporáneo" (*La Habana Elegante,* 1993), *La lengua de Virgilio* (Ediciones Vigía, Matanzas, 1993), "La Habana de *Paradiso*" (*La Gaceta de Cuba,* 1994), "A propósito de un plato antiguo" (*La Revista del Vigía,* 1994) y "Por los años de Orígenes" (*Unión,* 1995), reunidos luego en el volumen *El libro perdido de los origenistas* (2002), proponían una crítica del origenismo oficial, construido por las visiones homogeneizantes del legado literario de aquella generación establecidas por Cintio Vitier y sus discípulos. La crítica de Ponte encaraba frontalmente el mito de la "teleología insular", en tanto sustrato de una asimilación de *Orígenes* al discurso legitimador de la Revolución cubana. Lo más cuestionable de esa operación, según Ponte, no era la propia inserción de Vitier en los aparatos ideológicos del Estado cubano sino la instrumentación política del legado de José Martí y José Lezama Lima, por un lado, y el ascenso, a rango oficial, de su virtual excomunión

---

[12] Víctor Fowler, *La maldición. Una historia del placer como conquista,* Letras Cubanas, La Habana, 1998, pp. 73-94.

de Virgilio Piñera y Lorenzo García Vega de la ciudad letrada insular.

Sin hacer demasiado visible su adscripción a la imagen literaria del siglo XIX cubano, desarrollada por Piñera y Arrufat en sus ensayos, Ponte se declaraba más contemporáneo de Casal que de Martí.[13] Luego desmenuzaba críticamente los juicios de Vitier sobre Piñera, con el fin de refutar la idea de que en la literatura piñeriana se plasma algún "testimonio falseado de la isla".[14] En su relectura de *Los años de Orígenes* de Lorenzo García Vega, Ponte hallaba una contrahistoria de la experiencia origenista que le permitía hacer girar su crítica, no en torno al legado de *Orígenes,* sino en torno a la versión vitieriana del mismo, suscrita por el Estado insular en la década de 1990.[15] Finalmente, Ponte desembocaba en el meollo del debate origenista: la diferencia entre las nociones de "teleología insular" en la poética de Lezama y en la política de Vitier.[16]

Casi al mismo tiempo en que aparecían, reunidos en México, los ensayos de Ponte, en La Habana, un jurado compuesto por Luisa Campuzano, Luis Álvarez y Carina Pino Santos, concedía el premio Alejo Carpentier al libro *La poesía de Virgilio Piñera. Ensayo de aproximación* (2001) del estudioso Enrique Saínz. Aunque discípulo de Vitier, Saínz era más flexible en sus juicios sobre el autor de *La isla en peso* y reseñaba con elocuencia y entusiasmo la poesía escrita por Piñera en sus dos últimas décadas de vida, entre 1960 y 1979 —décadas que, siguiendo a Arrufat, llama "de la muerte"—.[17] En varias páginas, como aquellas en que comentaba la ejemplar defensa de la homosexualidad que hizo Piñera en su "Ballagas en persona", Saínz se distanciaba de Vitier, pero en

[13] Antonio José Ponte, *El libro perdido de los origenistas,* Aldus, México 2002, pp. 33-41.

[14] *Ibid.,* pp. 43-52.

[15] *Ibid.,* pp. 73-82.

[16] *Ibid.,* pp. 90-104.

[17] Enrique Saínz, *La poesía de Virgilio Piñera. Ensayo de aproximación*, Letras Cubanas, La Habana, 2001, pp. 131-163.

otras reiteraba algunos de los tópicos del nacionalismo católico vitierista.[18]

Los momentos en que Saínz restablece los juicios de Vitier sobre Piñera no pasaron inadvertidos a la lectura de Víctor Fowler y Antonio José Ponte. Ambos reconocían la mayor hospitalidad con que Saínz se acercaba a la poética de Piñera, pero no dejaban de señalar que algunas frases —como Piñera "no pudo ver, en la historia cubana del siglo XIX ni en la obra de los grandes fundadores de la nación (Caballero, Varela, Luz, Martí), el país posible" o Piñera careció de "sentido de futuridad" o no ofreció "ninguna propuesta de edificación"—, suscribían aquel *dictum* aduanero de Vitier, plasmado en *Lo cubano en la poesía* y en *Ese sol del mundo moral,* que colocaba al autor de *Cuentos fríos* fuera de los límites morales y poéticos de la "cubanía".[19]

La reubicación de Piñera en el centro del canon avanzó, también, fuera de la isla. La edición de los *Cuentos completos* (1999), en Alfaguara, prologados por Arrufat, colocó a Piñera, junto a Cortázar o Monterroso, en la primera línea de la ficción corta latinoamericana del siglo XX. Ese mismo año, el crítico Carlos Espinosa Domínguez coordinó un homenaje a Piñera en la importante revista exiliada, *Encuentro de la cultura cubana.*[20] Tres años después, la crítica cubana, radicada en Puerto Rico, Rita Molinero, reunió en un volumen treinta y cinco estudios sobre el autor de *La isla en peso,* entre cuyos autores no sólo figuraban algunos amigos y admiradores de Piñera como el propio Arrufat, Reinaldo Arenas y Severo Sarduy, sino varios escritores cubanos, de diversas generaciones y poéticas, como Leonardo Padura, Eliseo Alberto, Jesús J. Barquet, Virgilio Ló-

---

[18] *Idem.*

[19] Antonio José Ponte, "Reclamaciones equivocadas a Virgilio Piñera", *Extramuros,* núm. 8 (La Habana, enero-abril, 2002), pp. 1-3; Víctor Fowler, "Otra lectura de Piñera: a propósito de un libro de Enrique Saínz", *Unión* (La Habana, abril-junio de 2002).

[20] Carlos Espinosa Domínguez, "Introducción al Homenaje a Virgilio Piñera", *Encuentro de la Cultura Cubana,* núm. 14 (otoño de 1999), pp. 11-13.

pez Lemus, Madeline Cámara, José Quiroga, Francisco Morán, Carlos Alberto Aguilera o Jesús Jambrina.[21]

Cuando, a mediados de la última década, aparecieron fuera de la isla *Virgilio Piñera en persona* (2003) de Carlos Espinosa —también editado en La Habana—, valiosa miscelánea documental, *Los límites del origenismo* (2005) de Duanel Díaz, el mejor estudio sobre la recepción de los escritores de *Orígenes* en la isla, y *Everythig in Its Place. The Life and Works of Virgilio Piñera* (2006) de Thomas Anderson, hasta ahora la más completa biografía del autor de *Electra Garrigó*, ya Virgilio Piñera había salido de la exclusión a que lo habían relegado la crítica marxista y católica de la isla y buena parte de la crítica latinoamericana y cubanoamericana.[22] A partir de entonces, Piñera comenzaría a recuperar su vida como obra referencial de los estudios literarios y, también, como personaje de la propia literatura cubana. El Piñera que escribe a su amigo José Rodríguez Feo, desde el Buenos Aires de inicios de la década de 1950, en la novela *Fumando espero* (2003) de Jorge Ángel Pérez y el que conmueve la escena teatral habanera, un poco después, en *Esther en alguna parte* (2005) de Eliseo Alberto, hablan ya de la sobrevida de un maestro en las ficciones de sus discípulos.[23]

En 2009, la revista española *República de las Letras,* que dirige Andrés Sorel, quiso dedicar un número a Piñera, y encontró que una veintena de escritores cubanos (Pablo Armando Fernández, Reinaldo Montero, Damaris Calderón, Gerardo Fernández Fe, Margarita Mateo, Jorge Luis Arcos, Omar Valiño…), de todas las generaciones y residencias, sentían la nece-

[21] Rita Molinero, *Virgilio Piñera. La memoria del cuerpo,* Plaza Mayor, San Juan, Puerto Rico, 2002, pp. 17-28.

[22] Carlos Espinosa Domínguez, *Virgilio Piñera en persona,* Término Editorial, Miami, 2003, pp. 11-14; Duanel Díaz, *Los límites del origenismo,* Colibrí, Madrid, 2005, pp. 338-348; Thomas F. Anderson, *Everything in Its Place. The Life and Works of Virgilio Piñera,* Bucknell University Press, Lewisburg, 2006.

[23] Jorge Ángel Pérez, *Fumando espero,* Letras Cubanas, La Habana, 2003, pp. 97-131; Eliseo Alberto, *Esther en alguna parte,* Espasa Calpe, Madrid, 2005, p. 27.

sidad de colocar al autor de *La carne de René* como polo de atracción del campo literario cubano.[24] En la víspera de su primer centenario, Virgilio Piñera parecía tensar un arco de recepción en la literatura de la isla, tan amplio y heterogéneo como el de José Lezama Lima o Alejo Carpentier. El ensayo de David Leyva González, *Virgilio Piñera o la libertad de lo grotesco* (2010), o la *Órbita de Virgilio Piñera* (2011), coordinada por el propio Leyva, fueron una buena muestra de la vitalidad que conservaba, a un siglo de su nacimiento, el autor de *Una broma colosal.*[25]

Aun cuando Piñera tiene muchos seguidores en la literatura cubana contemporánea, el vínculo entre el autor de *La isla en peso* y las últimas generaciones de escritores de la isla ha pasado, fundamentalmente, por la mediación de Antón Arrufat. La obra de Arrufat es una estación ineludible de una genealogía literaria que conecta a Virgilio Piñera con las literaturas cubanas del siglo XXI. Gracias, en buena medida, a Arrufat, la marca de Piñera se lee en la narrativa de Abilio Estévez y Leonardo Padura, en la poesía de Reina María Rodríguez y Sigfredo Ariel, en la prosa de Jorge Ángel Pérez y Antonio José Ponte y en los ensayos de Víctor Fowler y Jesús Jambrina. Marca migrante o fugitiva, donde no se sabe bien cuándo termina Piñera y comienza Arrufat.

Cuando Marcel Proust tomaba notas para *En busca del tiempo perdido,* organizó sus apuntes en forma de conversaciones con su madre. En aquellas charlas escritas Proust expuso su principal diferencia con la concepción de la literatura del gran crítico francés del siglo XIX, Sainte-Beuve. Para Proust el "yo" de quien escribe era diferente al "yo mundano" del escritor, por lo que el misterio de la escritura debía desentrañarse en el acto solitario frente a la página en blanco y no en la biografía, las

---

[24] Andrés Sorel, "Virgilio Piñera. ¿Una broma colosal?", *República de las Letras,* núm. 114 (octubre de 2009), pp. 5-16.

[25] David Leyva González, *Virgilio Piñera o la libertad de lo grotesco,* Letras Cubanas, La Habana, 2010; David Leyva (ed.), *Órbita de Virgilio Piñera,* Unión, La Habana, 2011, pp. 7-22.

ideas o las pasiones del autor.[26] Entre otras cosas, Proust le reprochaba a Sainte-Beuve que no distinguiera entre la "conversación" y la "escritura".[27] Antón Arrufat, como veremos, pertenece más a la estirpe de Sainte-Beuve que a la de Proust.

El arte de la conversación

Alguna vez el poeta León Felipe se preguntó por qué los españoles hablaban tan alto. La respuesta del autor de los *Versos y oraciones del caminante* rezumaba el aliento de sus propias elegías. Los españoles hablaban demasiado alto, según Felipe, porque la historia los había vuelto enfáticos, obligándolos a proferir tres grandes exclamaciones al mundo: la de Rodrigo de Triana cuando gritó ¡Tierra! en 1492; la del Quijote de Cervantes, en los primeros años del siglo XVII, cuando reclamó ¡Justicia!; y la de millones de españoles en 1936, cuando, al borde del franquismo, advirtieron ¡Ahí viene el Coco! y casi nadie les creyó.

Los cubanos, hijos de españoles, también hablamos muy alto. Pero lo que caracteriza nuestro habla no es tanto el volumen como el tiempo, la velocidad y la prolongación del discurso. El cubano habla rápido y habla mucho. Si nos trasladáramos a las disputas morales del siglo XVIII francés, los habitantes de Cuba seríamos discípulos del padre Lamy, a quien se debe un popular manual titulado *Arte de hablar*, y enemigos de los pocos seguidores del abate Dinouart, autor de un *Arte de callar*, donde se lee que "antes de aprender a hablar, el hombre debe aprender a callar, ya que en silencio arriesga menos y es más dueño de sí". Como un lector de aquellos moralistas franceses, Antón Arrufat ha hecho de su obra literaria un arte de la conversación a medio camino entre el habla y el silencio.

En el citado ensayo *Virgilio Piñera: entre él y yo* (1994),

[26] Marcel Proust, *Contra Sainte-Beuve. Recuerdos de una mañana,* Tusquets, Barcelona, 2005, p. 24.
[27] *Ibid.,* p. 25.

Arrufat reconocía que la principal enseñanza aprendida de su maestro era un tipo de conversación, un "intercambio personal" o un "entre", que por momentos adoptaba un tono refutador, de diatriba, pero que al final procuraba una sintonía profunda, resistente a la contradicción. Decía entonces Arrufat que la "conversación de Piñera no era de largas tiradas, monologante ni impositiva", que "buscaba, por el contrario, la controversia del diálogo, casi siempre rivalizador y competitivo", y que "cuando no encontraba contrincante, languidecía".[28] Ese tipo de conversación, mitad diálogo socrático, mitad querella ilustrada, es muy frecuente en la narrativa y el teatro de Arrufat y reaparece en su reciente ensayo, "Oyendo conversar a Lezama".[29]

Las primeras presencias del arte de la conversación, en la obra de Antón Arrufat, tal vez haya que encontrarlas en sus tempranas piezas de teatro, *El caso se investiga* (1957), *El vivo al pollo* (1961), que mereció un elogio de Juan José Arreola en *Casa de las Américas,* o *Todos los domingos* (1965), y en las narraciones juveniles reunidas en el volumen *Mi antagonista y otras observaciones* (1963), que apareció, al igual que algunas de sus obras teatrales, en la mítica Ediciones R. Hay en aquellos primeros textos un cuidado en el trabajo con los diálogos que, probablemente, tenga su origen en el contacto con el mundo de la zarzuela y el teatro en su natal Santiago de Cuba, en compañía de su padre.

Otra de las fuentes importantes del sentido dialógico de los primeros textos de Arrufat, además de la narrativa y el propio teatro de Piñera, fue la cuentística de Julio Cortázar. Arrufat, que compiló y prologó los *Cuentos* (Casa de las Américas, 1964) de Cortázar, se había familiarizado con la técnica del relato breve puesta en práctica en volúmenes como *La otra orilla, Bestiario, Las armas secretas* y *Final del juego.* Como bien señala Mario Vargas Llosa, en su ensayo "La trompeta de Deyá",

[28] Antón Arrufat, *Virgilio Piñera, op. cit.,* p. 21.
[29] Antón Arrufat, "Oyendo conversar a Lezama", *Clarín. Revista de Nueva Literatura*, año 11, núm. 66 (2006), pp. 35-38.

lo que hacía de Cortázar un escritor realista y a la vez fantástico o metafísico, con resonancias de James y Poe, de Borges y Kafka, era una "limpidez" y una "depuración" en el estilo que presentaban como "tramas diáfanas" o "mundos sin sombra" historias perversas.[30] En Piñera y en Arrufat sucede algo similar, aunque sin esa fuga hacia lo fantástico y lo gótico que, por momentos, sucede en la narrativa de Cortázar. Los cubanos, como dice Vargas Llosa, también buscan ese momento en que "la realidad banal comienza a resquebrajarse y a ceder a presiones recónditas, que la empujan hacia lo prodigioso", pero prefieren quedarse del lado de lo real o de lo absurdo o de ambas dimensiones a la vez, cuya mezcla aprendieron en el teatro de Beckett, Ionesco y Albee.[31]

Esa búsqueda de la banalización de la realidad, y de su aspecto monstruoso o sombrío, dentro de la dialéctica de una conversación, es notable, como decíamos, en toda la obra teatral y narrativa de Arrufat. En su primera novela, *La caja está cerrada* (1984), que ya estaba escrita en 1970, hay un trabajo sumamente refinado con los diálogos que nos transporta a la sociedad santiaguera de las últimas décadas republicanas. El mundo de clase media del Colegio Dolores, de la Compañía de Jesús, el Club San Carlos y las casas de Vista Alegre es reconstruido, por Arrufat, a través de varios modelos de conversación o intercambio verbal, colocados en el centro de una típica *Bildungsroman*. Todas las variantes coloquiales de la novela convergen en el retrato de la formación intelectual, moral y sexual de Gregorio Ibarra, Alter ego del Arrufat niño y adolescente.

La novela abre con un tipo de diálogo, característico de la vida privada hispanoamericana, entre mujeres (Idelina y Regina) de una casa, que se mueven entre la cocina y el portal y cuchichean sobre familiares y conocidos.[32] Luego los tópicos

[30] Mario Vargas Llosa, "La trompeta de Deyá", en Julio Cortázar, *Cuentos,* Alfaguara, Madrid, 1994, pp. 19-20
[31] *Ibid.,* p. 19.
[32] Antón Arrufat, *La caja está cerrada,* Letras Cubanas, La Habana, 2002, pp. 7-14.

verbales se trasladan al mundo de la música, la zarzuela y la ópera, en las ansiedades de Ana Rosa, la estudiante de piano, y en la evocación de la tiple mexicana Esperanza Iris que cantó *La viuda alegre* y *La duquesa del Bal Tabarín* en el Teatro Heredia, frente al parque Aguilera, propiedad del abuelo de Gregorio.[33] Poco a poco el arte de la conversación va adquiriendo espesor intelectual en los diálogos entre Gregorio y el tío Rogelio, un "señor jacobino" que reescribe la historia republicana, mientras la narra verbalmente a su sobrino, hasta llegar a las disputas teológicas entre el Hermano Hernández y el Padre Rector, los maestros jesuitas de Gregorio en Dolores.[34]

En el debate teológico entre ambos sacerdotes, el Hermano personifica la posición de la Patrística —en algún momento cita el famoso "creo porque es absurdo" de Tertuliano— y el Rector la de la Escolástica: la vieja pugna medieval entre las enseñanzas de san Agustín y santo Tomás. Para el Rector, dice Arrufat, "la divinidad era lo más alto, fuerte, bello y misericordioso para el hombre"; para el Hermano, era "admirable e infinitamente horrible, el *mysterium tremendum*". Dios era para el primero la "bondad suma", para el segundo, "terror" y "espanto", algo "incomprensible" e "inefable".[35] Aquella polémica teológica podía trasladarse a cualquier tema, por ejemplo, a la segunda Guerra Mundial, que los padres jesuitas seguían a través de la radio: el Rector veía la guerra como una "epidemia" que sería erradicada; el Hermano la entendía como un estado natural y recurrente: "habrá un descanso, el hombre realizará sus obras de paz, y cuando esté ahíto y fuerte la emprenderá otra vez contra sus semejantes".[36]

El receso, la calma e, incluso, la terapia de aquellos neotomistas era subir a la azotea del Colegio Dolores y contemplar las estrellas con el Padre Oriol. El observatorio era el lugar donde la modernidad, con su discurso astronómico, se imponía a las que-

[33] *Ibid.,* pp. 17 y 23.
[34] *Ibid.,* pp. 62-68 y 98-99.
[35] *Ibid.,* p. 99.
[36] *Ibid.,* p. 98.

rellas medievales y donde la moralidad ignaciana experimentaba una indeseada secularización. Ese choque de lo secular y lo moderno con lo tradicional y lo católico reaparece, en toda su elocuencia, en la maravillosa escena del monólogo de don Lucio, el viejo mambí que se volvió agnóstico durante su lucha contra la monarquía española, sus lecturas de Voltaire y Rousseau y su admiración por Hidalgo y Bolívar, y que, al final de la vida, pide la extremaunción, arrodillado ante el retrato de su devota esposa Clodomira.[37] Don Lucio admite, como única prueba de la existencia de Dios, que su esposa le responda desde el más allá: "ante tanto silencio y desamparo, ¿no sería un consuelo, el mío, creer en la existencia de Dios? Que hay otra orilla donde te alcanza mi voz y puedes reconocerla. Si Dios existe, qué callado".[38]

La segunda novela de Arrufat, que apareció quince años después de *La caja está cerrada,* se titula *La noche del Aguafiestas* (Letras Cubanas, La Habana, 2000) y transcurre dentro de una misma conversación, desde la primera hasta la última página. Cuando leemos a los grandes maestros del diálogo, Balzac y Tolstói, Conrad y Hemingway, saltamos de una plática a otra, guiados por un narrador omnisciente que, a veces, habla más que sus propios personajes. En *La noche del Aguafiestas* ese narrador, es decir, Antón Arrufat, apenas interviene y cuando lo hace es para insinuar borrosas pinceladas de quienes hablan y escuchan. Como en algunas pinturas de Brueghel, *el Joven,* aquí los personajes no tienen rostro; sus caras son sus propios parlamentos.

La trama de la novela de Arrufat no es más que el coloquio de cinco amigos, Aristarco Valdés (*el Aguafiestas*), Jenofonte, Filonús, Licino y Actité, en una noche habanera —o, más bien, "hablanera", como diría Guillermo Cabrera Infante. Y he ahí la primera sorpresa: los modelos retóricos de esta ficción no parecen provenir de la narrativa, sino de otros géneros occidentales, como el diálogo antiguo y el drama moderno. Sin mucho pudor, podría afirmarse que *La noche del Aguafiestas* es una novela

---

[37] *Ibid.,* pp. 369-372.
[38] *Ibid.,* p. 373.

neoplatónica. Sus personajes, al igual que los de *Fedro o del amor* y *Critón o del deber,* son contertulios que discurren sobre diversos temas: el arte de la relectura, la cocina y las frutas cubanas, las posturas del reposo (sentado, acostado y recostado), la cábala, el amor, la sexualidad, el cosmos, la noche... Siendo quisquillosos, diríamos que esta novela corresponde a lo que Platón llamaba *simposio* o *banquete,* es decir, una plática que recorre varios diálogos.

Pero más allá de la retórica, hay un platonismo intelectual, metafísico, en *La noche del Aguafiestas,* que se proyecta en la reflexión sobre la palabra y el lenguaje, sobre el deseo y el placer. Los cinco personajes de esta novela son criaturas entregadas al acto del decir, como si sólo en la articulación de un discurso encontraran las pruebas ontológicas de sus existencias. Aristarco, *el Aguafiestas* —personaje que equivale al Sócrates de Platón, maestro perverso— lo formula de un modo rotundo: "callarse significa atentar contra la persona, correr el riesgo de la desaparición".[39] Y más adelante remata con un juicio cercano al último Heidegger, el de la *Carta sobre el humanismo* (1945), texto clave del neoplatonismo moderno: "hablamos para poseer lo que pensamos, y hasta lo que hemos realizado. Poseemos la acción cuando la contamos, y hasta los sueños, si no se pierden y se apagan. La lengua nos redime del silencio de las tinieblas".[40]

La idea heideggeriana del "lenguaje como casa del ser" se plasma en *La noche del Aguafiestas* desde el sentido mismo de la "doctrina platónica de la verdad", es decir, desde la certeza de que la palabra invoca el recuerdo y que la memoria consuma el saber. Platón entendía el conocimiento como la *anámnesis* o reminiscencia de grandes nociones universales (el Bien, la Belle-

---

[39] Antón Arrufat, *La noche del Aguafiestas,* Letras Cubanas, La Habana, 2000, p. 79. La estudiosa Rita de Maeseneer ha analizado la relación de Arrufat con la tradición de la alta literatura insular a través de esta novela: Rita de Maeseneer, "Arrufat y los avatares del canon en la Cuba revolucionaria", *Voces del Caribe, Revista de Estudios Caribeños,* vol. 3, núm. 1 (primavera de 2011), pp. 123-142.

[40] Antón Arrufat, *op. cit.,* p. 95.

za, el Orden, la Justicia…) que el hombre, a tientas en la penumbra de su caverna, había olvidado. Pues bien, Aristarco Valdés (*el Aguafiestas*) piensa, como el Sócrates de la *República,* que "descubrir algo nuevo no es más que recordar algo perdido" y sueña con levantarle a Mnemósine, Diosa del Recuerdo y madre de las nueve musas, una estatua en el Parque de la Fraternidad de La Habana, ya que "sin memoria no habría fraternidad ni tampoco gratitud".[41]

Pero *La noche del Aguafiestas* no sólo nos remite a Platón en su metafísica, sino también en su erótica, que es indisociable de aquélla. Según el *Fedro,* el saber es amor porque se funda en la posesión de las *eidolas* o nociones universales que habitan el alma. Los cinco personajes de esta novela también aman por medio de la posesión del otro en el lenguaje. Aristarco desea a Actité, Actité desea a Jenofonte, Licino desea a Aristarco… Sin embargo, la instancia del placer, en los tres casos, se posterga indefinidamente por medio del goce de la pulsión y de su narrativa verbal. No creo, pues, que estos personajes sean onanistas, sino, más bien, practicantes de una erótica de la distancia, de la "evasión corporal", parecida a la que postula el filósofo francés Emmanuel Lévinas, esto es, el hedonismo intelectual de quienes conocen la finitud del placer y la intensidad del dolor.

Esta erótica resistente se expresa a cabalidad en los dos monólogos que interrumpen el coloquio de la novela: el de Jenofonte y el de Filonús. Jenofonte, discípulo de Aristarco / Sócrates, cuenta la historia de su amor con madame Recamier, la hermosa dama de la Restauración francesa, que reunió en su salón a la intelectualidad selecta de los reinados de Luis XVIII, Carlos X y Luis Felipe de Orleans. Los desvelos de Jenofonte, mulato habanero de fines del siglo xx, no son provocados, naturalmente, por la misma Julie Bernard que amaron Constant y Chateaubriand, sino por una imagen suya: el retrato que le hiciera, siendo ella muy joven, el pintor neoclásico del Imperio, Jacques Louis David.[42]

[41] *Ibid.,* p. 50.
[42] *Ibid.,* pp. 105-107.

La historia de amor de Filonús, momento en que la prosa de Arrufat exhibe su consabida elegancia, es aún más reveladora de esta erótica. El personaje es un hijo que adora a su madre fallecida, a través de los retratos que la tía, la hermana fea, le muestra obsesivamente, en vano intento de liberar su complejo físico. Otro romance entre una persona y un espectro, que se cruza, esta vez, con el idilio entre el padre ebanista y la madre muerta, a cuyo luto, de muchos años, consagra un enorme baúl en el que preservará, intacto, el vestido nupcial de la amada. En ambos amores, el de Jenofonte y el de Filonús, predomina la contención del tacto, el dominio de los intercambios físicos, como recursos de una sensualidad tentativa, misteriosa, intangible.[43]

La entrega a la palabra de los personajes de *La noche del Aguafiestas* hace de esta novela un remanso en la literatura cubana de hoy, tan dada al uso instrumental del lenguaje, al abuso del estilo con fines públicos. No en balde este libro de sutil ficción ignora las aprensiones del campo intelectual y nos ofrece una narrativa bibliófila, que reparte sus tributos entre raros autores franceses, como Émile Faguet y Benjamin Constant, y clásicos cubanos, como José Lezama Lima y Virgilio Piñera. En *La noche del Aguafiestas,* los homenajes a estos dos genios tutelares de la literatura de Antón Arrufat están bien repartidos. Piñera merece varias alusiones al paso y una parada en el envenenamiento, por papaya, de Clitemnestra Plá, la madre de Electra Garrigó. Lezama, por su lado, recibe ofrendas implícitas como la del discurso erótico sobre las frutas, tomado de *Oppiano Licario,* o la cita del poema "Una oscura pradera me convida".[44]

La bibliofilia de *La noche del Aguafiestas* lleva el arte de la conversación de Antón Arrufat a una zona donde se borran las fronteras entre lo hablado y lo escrito. Así como en *La caja está cerrada* el repertorio del habla remitía a la oralidad doméstica o

[43] *Ibid.,* pp. 136-149.
[44] *Ibid.,* pp. 45 y 50.

colegial del mundo santiaguero de la República, *La noche del Aguafiestas* reconstruye el universo poco conocido de la sociabilidad letrada de la Revolución, en el que las lecturas se adueñan del diálogo. Lo leído aparece en esa literatura como un trofeo que debe ser exhibido, unas veces con discreción, otras con pedantería, pero siempre con la elegancia de quien ha decidido afirmarse social y políticamente por medio de la erudición. Arrufat y sus personajes serían casos ideales para explorar una sociología del saber en la Cuba socialista.

El tránsito entre el arte de la conversación de la primera y la segunda novela se comprende mejor repasando textos intermedios como las prosas de *De las pequeñas cosas* (1997) o *Ejercicios para hacer de la esterilidad virtud* (1998) y los poemas del cuaderno *El viejo carpintero* (1999). *De las pequeñas cosas* (1997) es un libro "bellísimo", como dijera sin remilgos Andrés Trapiello en el prólogo a la edición de Pre-Textos.[45] Apareció en la colección de "narrativa" de esa editorial valenciana y en algunas notas biográficas de Arrufat aparece como un volumen de "relatos", pero se trata de un libro de ensayos, en la mejor tradición del género, la que viene directamente de Montaigne. A diferencia de *Ejercicios para hacer de la esterilidad virtud,* que se acerca al divertimento narrativo, al estilo de Cortázar o el propio Piñera, *De las pequeñas cosas* es la bitácora de un bibliófilo: un cuaderno de viñetas que, desde la herencia de Montaigne, desemboca en una prosa híbrida, entre ensayo, memoria y ficción, similar a la que hoy escriben autores como Claudio Magris o Enrique Vila-Matas.

Arrufat relee a Villaverde, a Del Monte, a Bachiller y Morales, a Casal, a Martí, a Ortiz, a Guerra y, naturalmente, a Piñera, con el propósito de diseñar una cartografía literaria e histórica de La Habana. Pero también relee a Carroll, a Valéry, a Cocteau, a Proust, a Kafka, a James, a Gide, a Machado, siempre en busca de las conexiones occidentales de la isla. "El encuentro", "La glorieta" y "Trazo del jardín" son piezas memorables,

---

[45] Antón Arrufat, *De las pequeñas cosas*, Pre-Textos, Madrid, 1997, p. 1.

en las que un refinado campo referencial de alta literatura se pone a disposición de evocaciones personales y urbanas, logrando una urdimbre delicada y, a la vez, firme de representaciones literarias de la ciudad.[46]

En *De las pequeñas cosas y Ejercicios para hacer de la esterilidad virtud* hay una bibliofilia parecida a la de Piñera. Una bibliofilia moderna, entregada a la significación secular y laica, en más de un sentido, de las tradiciones letradas. En su gran biografía *Montaigne a caballo* (1996), Jean Lacouture vinculaba esa bibliofilia a la actitud del "ermitaño al acecho", es decir, el lector que escribe o, en su acepción contemporánea, el letrado de vanguardia, que hace de la erudición un acervo ligero y manipulable.[47] Como Ricardo Piglia o Juan Villoro, Antón Arrufat es uno de esos escritores lectores que hacen de la lectura un tema de conversación de los textos. Esa exposición de lo leído no sólo se plasma en sus inteligentes ensayos sobre Gertrudis Gómez de Avellaneda, Julián del Casal y José Martí, que tanto deben a Piñera, sino en algunos poemas de *El viejo carpintero* (1999), donde asume su deuda con Baudelaire, Frost o Thompson.[48]

La estirpe de Sainte-Beuve también expone sus modos en los ensayos dedicados a la historia de la literatura cubana que Antón Arrufat reunió en *El hombre discursivo* (2005) y *Las máscaras de Talía* (2009), su gran estudio sobre Gertrudis Gómez de Avellaneda. Como en los *Retratos literarios* del famoso crítico francés, Arrufat logra un trato familiar con los grandes escritores del pasado insular: José María Heredia y Julián del Casal, Gertrudis Gómez de Avellaneda y Ramón Meza, José Lezama Lima y, por supuesto, Virgilio Piñera.[49] Lo que distingue esa

[46] *Ibid.*, pp. 35-44, 83-94 y 191-202.

[47] Jean Lacouture, *Montaigne a caballo,* FCE, México, 1999, pp. 192-230.

[48] Antón Arrufat, *El viejo carpintero,* Unión, La Habana, 1999, pp. 54, 70 y 87; Antón Arrufat, *El hombre discursivo,* Letras Cubanas, La Habana, 2005, pp. 125-147 y 186-192.

[49] Antón Arrufat, *El hombre discursivo, op. cit.,* pp. 125-147; Antón Arrufat, *Las máscaras de Talía,* Ediciones Matanzas, Matanzas, 2008, pp. 7-38.

idea de la crítica literaria como retrato familiar es la articulación de la interpretación estética y el apunte biográfico, el maridaje entre *bios* y *grafía*.

Esa idea de la literatura, como oficio y comunidad, como genealogía y tradición, logró sobrevivir a la hegemonía del marxismo-leninismo y el nacionalismo revolucionario sobre los discursos críticos de la isla. Con ella pudo Arrufat defender su linaje y, a la vez, reescribir la historia literaria de su país. Una historia que, como puede advertirse en ensayos como "Oyendo conversar a Lezama" (2006) o "Un olvidado de la República: Armando Leyva" (2010), no sólo está conformada por figuras canónicas, bien establecidas en los discursos críticos e historiográficos, sino por raros, por escritores fantasmas que han sido relegados al olvido de las últimas generaciones y que Arrufat invoca como arqueólogo de las letras o como médium escribiente.[50]

En su libro *Los logócratas,* George Steiner intentó caracterizar esa manera de entender la literatura moderna a partir de los casos de De Maistre, Heidegger, Boutang y Benjamin. A partir de una tradición que se remonta al *Cratilo* de Platón, Steiner afirma que los escritores "logócratas" son aquellos para los que no es el "hombre el que habla el lenguaje" sino el "lenguaje el que habla al hombre".[51] Al hacer de la conversación —"hablemos del conversar" dice uno de sus personajes— el centro de su escritura, Antón Arrufat se inscribe en esa logocracia. Por medio de Arrufat, un legado como el de Virgilio Piñera —de difícil asimilación, en una cultura machista, católica y marxista como la cubana, por sus acentos vanguardistas, laicos y heterodoxos— se erige en tradición. Arrufat hizo de Piñera un tema de conversación de su literatura y abrió el diálogo con su maestro a los más jóvenes escritores de la isla.

---

[50] Antón Arrufat, "Oyendo conversar a Lezama", *op. cit.,* pp. 35-38; Antón Arrufat, "Un olvidado de la República: Armando Leyva", *Libros del Crepúsculo* (www.librosdelcrepusculo.com), 13 de enero de 2011.

[51] George Steiner, *Los logócratas,* FCE / Siruela, México, 2007, p. 18.

VII. Poeta lector

LA PRIMERA huella del paso de José Kozer (La Habana, 1940) por la literatura cubana aparece en el suplemento cultural *Lunes de Revolución* (1959-1961), que fundara y dirigiera Guillermo Cabrera Infante. En el número 65 de aquella publicación, hito del vanguardismo cultural cubano de mediados del siglo pasado, el joven poeta y estudiante de la Facultad de Derecho de la Universidad de La Habana, responde a la pregunta de la redacción, "¿qué se lee en La Habana?".[1] Hoy Kozer lo recuerda como un pueril y, a la vez, sincero gesto de impresionar a los editores de *Lunes* con sus lecturas: T. S. Eliot, Ezra Pound, Anatole France, Curzio Malaparte… y, por supuesto, José Martí.[2]

Entre 1960 y 1961, la familia Kozer, que pertenecía a la pequeña comunidad ashkenazi habanera, se trasladó de la isla a los Estados Unidos. Al poco tiempo de instalarse en Nueva York, el joven Kozer matriculó letras hispanoamericanas en New York University y se adentró en el mundo anglófono de la Costa Este de los Estados Unidos. Hacia mediados de la década, recién graduado y enseñando español en Queens College, de City University of New York, el exiliado cubano comenzaría a escribir poemas en español y a reencontrarse con la lengua en que aprendió a leer y a escribir en La Habana de la década de 1950. Una lengua que le llegó por vía urbana, además de doméstica, ya que al no ser el idioma materno de sus padres, se mezclaba en su casa con el yiddish.

---

[1] *Lunes de Revolución*, núm. 65 (27 de junio de 1960), p. 4.
[2] Entrevista con el autor, Middlebury College, Vermont, verano de 2010.

Desde fines de la década de 1960, Kozer se acerca al grupo de exiliados cubanos (Víctor Batista, Raimundo Fernández Bonilla, Carlos M. Luis, Lorenzo García Vega…) que editó la importante revista *Exilio* (1965-1973), en Nueva York. Los primeros poemarios de Kozer —*Padres y otras profesiones* (1972), *Poemas de Guadalupe* (1973), *Por la libre* (1973), *De Chepén a La Habana* (1973), *Este judío de números y letras* (1975), *Y así tomaron posesión en las ciudades* (1978), *La rueca de los semblantes* (1980), *Jarrón de las abreviaturas* (1980)…— reunidos, en lo fundamental, en la antología *Bajo este cien* (FCE, México, 1983), describen aquel reencuentro con la lengua, en medio de un entorno anglófono, aunque marcado por el diálogo con otros poetas latinoamericanos, de su misma generación, residentes por entonces en Nueva York. En la formación poética de Kozer se produjeron dos desplazamientos simultáneos y decisivos: la vuelta a la lengua habanera y la inscripción en un espacio literario transnacional.

En una nota aparecida en el verano de 1971, en *Exilio,* Kozer proponía una pequeña antología de jóvenes poetas latinoamericanos en Nueva York (el peruano Isaac Goldemberg, el costarricense Álvaro Cardona Hine, el cubano Rolando Campíns…), que describía la ubicación del joven escritor en una comunidad literaria no propiamente cubana sino "hispanoamericana en los Estados Unidos".[3] Esta operación intelectual, por la cual un poeta exiliado y de vanguardia afirma su lengua local, frente al exterior anglófono, e inserta su poética literaria en un horizonte lírico regional es bastante rara en la literatura contemporánea cubana.

La familia, la propiedad privada y el éxodo

Hoy Kozer recuerda que en su casa habanera se hablaba un castellano limitado y, a la vez, selectivo. Su padre, Kozer, sastre

---

[3] José Kozer, "Cuatro poetas hispanoamericanos en Estados Unidos", *Exilio* (verano de 1971), pp. 141-155.

y comunista, nunca llegó a escribir español y su madre, Katz, aunque más cubanizada, desarrolló un vocabulario más bien doméstico.[4] El rescate de la lengua por medio de la poesía, en el joven Kozer, implicó por tanto un ejercicio de memoria en el que palabras domésticas de la casa familiar y giros urbanos de La Habana de la década de 1950 eran convocados en un mismo poema. Así, leemos en los primeros cuadernos de Kozer, vocablos como "pitiminí", rosal de pocas y pequeñas flores que en Cuba se usaba para describir a las personas o las cosas esmirriadas, o como "hebras", "hornacinas", "celosías", "varasetos", "aldabonazos", propias del castellano andaluz que se habla en el Caribe.

Aquel ejercicio de memoria, en el exilio neoyorquino de las décadas de 1960 y 1970, tuvo a su favor, naturalmente, el estudio y la enseñanza de los clásicos del Siglo de Oro, de las generaciones del 98 y el 27, del modernismo y las vanguardias latinoamericanas. Sin embargo, la invocación de la lengua habanera en los primeros poemas de Kozer privilegiaba el espacio doméstico, familiar, como entorno del habla. El vocabulario provenía de las calles de Santos Suárez o La Habana Vieja, aunque la caja de resonancia del mismo era la sala y el comedor de la casa, el traspatio, los baños, los cuartos y la cocina. Las voces se proferían en el Ten Cent o en la calle Obispo, donde estaban los filatélicos, pero se escuchaban en el comedor de Estrada Palma, número 515.[5]

En aquellos primeros poemas, la comunidad doméstica era rememorada, literalmente, como una "sagrada familia", rodeada por múltiples parientes: la "abuela, su orina fermentada de yegua", el "abuelo inviolable, que lee el libro de los salmos", el "tío Sidney, con su buick del 56", abuela Perla, tía Ana, mamá Elena, tío Fernando, tío Maximiliano…[6] Algunos de esos poemas, más que retratos de familia, constituían verdaderas "gramáticas" del padre y la madre, siluetas dibujadas con las palabras

[4] Entrevista citada con el autor.
[5] José Kozer, *Bajo este cien*, FCE, México, 1983, pp. 19-20.
[6] *Ibid.*, pp. 15-16, 19-20, 24-29 y 34-37.

de los progenitores, que reaparecían en la memoria del hijo: "mi padre que fue sastre y comunista, mi padre que no hablaba y se sentó en la terraza a no creer en Dios, a no querer más nada con los hombres, huraño contra Hitler, huraño contra Stalin". Palabras que esbozaban, a su vez, la biografía política de un exiliado: "mi padre, que se fue de la aldea para siempre, refunfuñando para siempre contra la Revolución de Octubre, recalcando para siempre que Trotsky era un iluso y Beria un criminal".[7]

El verbo "refunfuñar", que Kozer utiliza varias veces en aquellos poemas, es un buen ejemplo de la infiltración del habla habanera en el espacio doméstico de esos exiliados judíos, que muy pronto partirían hacia un nuevo exilio. Algunas escenas logran transmitir la neurosis de la víspera de los exilios entre las familias cubanas que abandonaron la isla luego del triunfo de la Revolución. El recuerdo de esas escenas en el joven Kozer aparecía, entonces, como mecanismo de afirmación de la identidad exiliada del hijo, como señal de pertenencia a una comunidad, la hebrea en este caso, ligada siempre al destino y al testimonio de la errancia:

> Recogieron la mesa y se recogieron a sus habitaciones mis padres a murmurar (Mamá) de anillos por separado (Papá) a refunfuñar sobre saldos y una quimera de frutales y traspatios: se desvaneció como un eclipse en la coqueta el chal de Mamá y como una fusta esa mañana la navaja de Papá en el botiquín.[8]

En un excelente ensayo dedicado a la poesía de Kozer, el estudioso Gustavo Pérez Firmat advertía que en aquel viaje de regreso al español y a la isla, el autor de *Este judío de números y letras* (1975) había borrado las referencias estadunidenses, anglófonas o específicamente neoyorquinas de su literatura.[9]

[7] *Ibid.*, p. 33.
[8] *Ibid.*, pp. 13-14.
[9] Gustavo Pérez Firmat, *Vidas en vilo. La cultura cubanoamericana*, Colibrí, Madrid, 2000, p. 25.

Concluía Pérez Firmat que, aunque no lo asumiera así, Kozer era un poeta que, a diferencia de los escritores de la primera generación cubanoestadunidense (Oscar Hijuelos, Cristina García, Virgil Suárez, Eliana Rivero, Pablo Medina, Roberto Fernández, el propio Pérez Firmat), estudiados también por Isabel Álvarez Borland, se mostraba impermeable al inglés al tiempo en que dotaba su castellano de una identidad transnacional, por medio de giros, además de andaluces, mexicanos, argentinos o peruanos.[10]

En efecto, la centralidad de La Habana de la década de 1950 y la familia judía en el registro mnemótico de Kozer no implicó una concentración exclusiva de su lírica en el castellano habanero. Sin embargo, el juicio sobre la ausencia de imágenes estadunidenses en la primera poesía de Kozer debería relativizarse a través de una cartografía de las lecturas del poeta. Al igual que el Lorenzo García Vega de *Suite para la espera,* Kozer es un poeta lector que constantemente deja señas de lo que lee en lo que escribe. Es en esa exposición de una textualidad leída donde se encuentran, con mayor facilidad, las marcas del mundo anglófono y vanguardista de Nueva York que vivió entre las décadas de 1960 y la de 1970. Marcas que, como veremos, están relacionadas con la adscripción heterodoxa de Kozer a la comunidad judía neoyorquina.

En su temprano "Tríptico de la escritura", Kozer rendía homenaje a dos genios tutelares de la vanguardia occidental: Marcel Proust y Franz Kafka.[11] Ambos, lecturas ineludibles del joven exiliado que debe hacerse de una mnemotecnia para evocar el mundo familiar y nacional perdido, desde la urbe moderna en que vive. Proust y Kafka se superponían en una mirada irrenunciable: la de quien intenta recuperar su pasado y, a la vez, familiarizarse con un presente ajeno, amenazante en su racionalidad, pero no carente de sintonías espirituales. No habría

[10] *Ibid.,* pp. 170-187. Véase también Isabel Álvarez Borland, *Cuban-American Literature of Exile. From Person to Persona,* University of Virginia Press, Charlottesville, 1998, pp. 1-13.

[11] José Kozer, *Bajo este cien, op. cit.,* pp. 126-127 y 129-131.

que forzar demasiado la hermenéutica para encontrar en esa yuxtaposición de referencias proustianas y kafkianas un guiño a la tradición rabínica de la memoria y el exilio.

En aquellos años, Kozer había quedado impresionado con la lectura de los textos biográficos del también exiliado judío en Nueva York, Ernst Pawel, reunidos luego en los libros *The Nightmare of Reason* (1984), sobre Franz Kafka, y *The Laberynth of Exile* (1989), sobre Theodor Herzl.[12] Proust, Kafka y, desde luego, Herzl, concurrían en el archivo de la tradición rabínica y mesiánica que postulaba la memoria y el exilio como elementos, ya no de una filosofía, sino de una política del espíritu. Proust, quien como Anatole France —otro ídolo juvenil de Kozer— había apoyado a Émile Zola durante la cruzada a favor de Alfred Dreyfus y el antisemitismo francés, no era ajeno a esa tradición.

Kozer recuerda que sus padres, sin ser sionistas ni ortodoxos, compartían la idea de un Estado judío y el imaginario mesiánico de la gran cultura hebrea.[13] Frente a soluciones clasistas como la de Carlos Marx, quien en *La cuestión judía* reciclaba estereotipos antisemitas como "el Dios real de los judíos es el dinero", o constitucionalistas e ilustradas como la de Moisés Mendelssohn, que atribuían una cándida universalidad al humanismo judío, los Kozer seguían estando más cerca del proyecto originario de Herzl.[14] Seguía habiendo allí una alternancia entre modernidad y mesianismo más reconocible y más adoptable por un joven exiliado cubano, que intentaba construir una poética literaria de vanguardia, cerca de los círculos de la izquierda intelectual neoyorquina de la década de 1960 y 1970.

Junto a Kafka y a Proust, el "tríptico de la escritura" del joven Kozer sumaba al poeta norteamericano Wallace Stevens (1879-1955).[15] Imágenes neoyorquinas y giros de la poesía anglófona, especialmente aquéllos más abiertos al formato colo-

[12] Entrevista citada con el autor.
[13] *Idem.*
[14] Theodor Herzl, *El Estado judío,* Prometeo Libros, Buenos Aires, 2005, pp. 55-64.
[15] José Kozer, *Bajo este cien, op. cit.,* pp. 127-128.

quial y narrativo, como los que aparecen en *Las auroras de otoño* (1950), *Opus Posthumous* (1957) o *The Palm and the End of the Mind* (1972), pasaron de Stevens a Kozer.[16] En el poema que le dedicara, el exiliado cubano aludía, desde la palabra del título, "redoble", a la conexión hispánica que Stevens desarrolló a lo largo de su obra poética. Dentro de esa conexión ocupó un lugar destacado la amistad de Stevens con el crítico y editor cubano José Rodríguez Feo, codirector, junto con José Lezama Lima, de la mítica revista *Orígenes* (1944-1956).

El "redoble" de Kozer por Stevens debe leerse como una, entre varias, aproximaciones del poeta cubano a la poesía estadunidense o, específicamente, neoyorquina de las décadas de 1960 y 1970. Hay también homenajes implícitos y explícitos a Djuna Barnes y a e. e. cummings en la poesía de Kozer de aquellas décadas. *Vagaries Malicieux* (1974) y *Creatures in an Alphabet* (1986) de la primera y *Fairy Tales* (1965) del segundo también fueron lecturas que marcaron la formación de la poética kozeriana. En un poema un poco posterior a la edición de *Bajo este cien* (1983), titulado "La garza sin sombras", es posible leer —más allá del tributo que supone el exergo de Stevens— esas marcas de la poesía estadunidense. Los paisajes de llanuras y trigales, las nieves e incendios, los corzos y garzas podían ser europeos, pero su inscripción en los poemas de Kozer debía mucho a Eliot, Stevens, cummings, Frost y otros poetas estadunidenses.[17]

A diferencia de otros escritores cubanos de generaciones anteriores o posteriores, como Guillermo Cabrera Infante o Jesús Díaz, Kozer no permitió que la cubanidad secuestrara toda

[16] Existe una magnífica traducción y antología de poemas de Stevens hecha por Andrés Sánchez Robayna, *De la simple existencia* (Barcelona, Galaxia Gutenberg/Círculo de Lectores, 2003) y otra más reciente, con el clásico poema "Discurso académico en La Habana", de Daniel Aguirre Oteiza en *Ideas de orden*, Lumen, Barcelona, 2011. La formación lírica de Kozer en Nueva York se produjo en un momento clave de la articulación, en ese país, de lo que Harold Bloom ha llamado "La escuela de Stevens".

[17] José Kozer, *La garza sin sombras,* Bajo la Luna, Buenos Aires, 2006, pp. 169-179.

su poética. Es cierto que las imágenes familiares reaparecen constantemente en su poesía —los padres están siempre ahí, como figuras recurrentes, ineludibles, en *La garza sin sombras* (1986), en *De donde oscilan los seres en sus proporciones* (1990), en *Mezcla para dos tiempos* (1999), en *Ánima* (2002), en *En Feldafing las cornejas* (2007) e, incluso, en su más reciente *Acta* (2010), que comienza con los versos "La Euménide y yo, araña contra oruga tejiendo el/sudario de mi madre"—, pero las señas de identidad de Kozer se han ido diversificando a lo largo de cinco décadas de exilio, sumando, a los referentes neoyorquinos, hebreos y latinoamericanos, motivos budistas, chinos y japoneses.[18]

Tal vez, las huellas más pronunciadas de otras textualidades en la poesía de Kozer sean las de la tradición hebrea. Los exergos de salmos son constantes en poemas de *Bajo este cien* (1983) o de *La garza sin sombras* (1985). El salmo 125, "irá, es cierto, llorando el que lleva el zurrón en la semilla", o "e hizo que en medio del horno soplase como un viento de rocío" (Daniel 3:50) o "y hay un asolamiento cual en la destrucción de las ciudades" (Isaías 1:7) o "en aquel día desfallecerán las hermosas doncellas y los jóvenes" (Amós 8:13).[19] Pero los puentes analógicos que Kozer establece con otras tradiciones literarias se levantan hacia múltiples horizontes: desde el Zenrin Kushu, la recopilación poética zen, cuyos versos "los patos no buscan reflejarse/ni las aguas anhelan recibir su imagen", regalan el título de una de sus antologías (*No buscan reflejarse*, Letras Cubanas, La Habana, 2001) hasta los neovanguardistas estadunidenses George Oppen y Eudora Welty, pasando, desde luego, por Wallace Stevens y Paul Celan.[20]

[18] José Kozer, *Ánima*, FCE, México, 2002, pp. 45-47; José Kozer, *La garza sin sombras, op. cit.*, pp. 9-19; José Kozer, *En Feldafing las cornejas*, Aldus / Universidad del Claustro de Sor Juana, México, 2007, pp. 7-8; José Kozer, *Acta*, Aldus, México, 2010, pp. 9-11.

[19] José Kozer, *Bajo este cien, op. cit.*, p. 7; José Kozer, *La garza sin sombras, op. cit.*, pp. 7, 57 y 95.

[20] José Kozer, *La garza sin sombras, op. cit.*, pp. 31, 143 y 169; José Kozer, *En Feldafing las cornejas, op. cit.*, p. 62.

Gustavo Pérez Firmat ha observado que esta necesidad de exponer sus lecturas, en los poemas, se plasma de manera virtuosa en uno de los géneros poéticos mejor logrados de Kozer: el autorretrato. En poemas como "Evocación", "Noción de José Kozer", "Gaudeamus" o "Babel" y en sus varios "Autorretratos" y "Epitafios" leemos ese mapa de lecturas como parte de un documento de identidad, líricamente concebido.[21] Un documento de identidad en el que el acto de la lectura y las múltiples lenguas convocadas por el verbo escrito o hablado se convierten en señas, en símbolos distintivos del sujeto. Aunque escrita mayoritariamente en castellano, la poesía de Kozer da entrada a muchas lenguas que, por lo general, llegan a sus poemas a partir de lecturas de otros poetas:

> Mi idioma
> natural y materno
> es el enrevesado,
> le sigue el castellano
> muy de cerca, luego
> un ciempiés (el inglés)
> y luego, ya veremos:
> mientras, urdo (que no
> Urdu) y aspiro a un idioma
> tercero para impresionar al
> clero, a ver si puedo de
> una vez por todas acabar esta
> errancia, regresar a Ur…[22]

Esta apertura hacia lo leído en otras lenguas confiere a la poesía de Kozer un sentido cosmopolita y diaspórico, que no tiene equivalente en la literatura cubana. Un desbordamiento hacia otras tradiciones poéticas y otras lenguas literarias que, en todo caso, habría que relacionar con el cosmopolitismo lite-

[21] Jesús J. Barquet y Norberto Codina (selec. y notas), *Poesía cubana del siglo xx,* FCE, México, 2002, pp. 390-402.

[22] *Ibid.,* pp. 393-394.

rario de José Lezama Lima o Severo Sarduy, aunque con una más notable afirmación de la errancia, que proviene, naturalmente, de la identidad judía. En el raro libro de prosas, *Mezcla para dos tiempos* (1999), Kozer colocó su mapa de lecturas en el corazón de Occidente: Swift, Montaigne, Rilke...[23] Pero en otro libro más raro aún, el hermoso cuaderno *22 poemas*, ilustrado por Germán Venegas y editado por el artista mexicano Roberto Rébora, en la colección de Taller Ditoria, este expansionismo lírico se desplaza al Oriente por medio de semblanzas, tributos e imitaciones de poetas chinos, japoneses y budistas como Yang Wanli, Tao Yuanming, Matsuo Bashō y Daigu Ryōkan.[24]

En este poemario, Kozer hace de los poetas orientales personajes tangibles y retratables, a la vez que intenta devolver, con su escritura, el tono profético y místico de la poesía china, japonesa y budista. Lo mismo recreando el espectáculo de la guerra que reconstruyendo el estado contemplativo del "samadhi", Kozer retrata a esos poetas milenarios sin dejar de retratarse a sí mismo. Hay también en esos retratos un autorretrato, una silueta de su propia identidad, como si el habanero, judío y neoyorquino, José Kozer, pudiera vivir bajo la piel de los sabios orientales. En más de un verso de aquel poemario es legible el autorretrato de Kozer como poeta fecundo y, a la vez, asceta:

> El poeta Yang Wan Li (quizás el más prolífico de todos los milenios) vivió en una benigna ciudad terracota.
> Alcatraces.
> Plantó tres ciruelos a la entrada de su casa, producían una frutilla ponzoñosa
> y en su esterilidad
> El poeta Yang Wan Li se alimentaba de escudilla (arroz hervido) a veces un plato de
> Charales.
> Tisanas.

[23] José Kozer, *Mezcla para dos tiempos,* Aldus, México, 1999, pp. 165, 187 y 228.
[24] José Kozer, *22 poemas,* Taller Ditoria, México, pp. 9-12.

Ahora bien, eso sí: nunca se atuvo a las palabras del Emperador. No se inmutaba.[25]

El cosmopolitismo de Kozer, con su personal capítulo orientalista, reiterado en un último cuaderno, *Tokonoma* (2011), comparte con el de Lezama y Sarduy la idea de Cuba como lugar de tránsito. La metáfora de la isla, como pausa de la peregrinación, reaparece también en Kozer, quien ha asociado su país de nacimiento con una suerte de Purgatorio. Al inicio de su poemario *Ánima* (2002), Kozer reparaba en que el Purgatorio de Dante era también una isla —"questa isoletta intorno ad imo ad imo"— y atribuía la circularidad de ese cuaderno y de toda su obra a que el "punto de partida tiene (necesita) cerrarse en una oval, en un redondel o circunferencia, en que lo último regresa a lo primero; en este caso, la isla se dirige a la isla, o Cuba entronca (germina) en la *isoletta*".[26] Lo que quiere decir, ni más ni menos, que Cuba, como idea, florece o germina en la transición, en el desplazamiento.

Neobarroco y poscomunismo

En el ensayo antes citado, Gustavo Pérez Firmat observaba que la poesía de José Kozer, a partir de la década de 1990, abandonaba el tono coloquial que la había caracterizado en las décadas de 1970 y 1980 y se volvía más densa y hermética.[27] Creo entender a lo que se refiere Pérez Firmat, aunque no usaría sus mismos adjetivos: en cuadernos como *Trazas del lirondo* (1993), *Et mutabile* (1995), *Los paréntesis* (1995) o *AAA1144* (1997), que apareció con prólogo de Jacobo Sefamí, Kozer, en efecto, se vuelve más consciente del volumen y el sentido de su obra poética y comienza a hacerse más autorreferente, más atento a sus propios códigos. Ese repliegue sobre sí mismo coincide con el

[25] *Ibid.*, pp. 11-12.
[26] José Kozer, *Ánima, op. cit.*, p. 8.
[27] Gustavo Pérez Firmat, *op. cit.*, pp. 184-187.

momento en que su poética comienza a ser ubicada dentro del neobarroco latinoamericano. Decía Sefamí en aquel prólogo:

> José Kozer escribe y escribe; su ansia no halla consuelo. Tal vez, nunca esté satisfecho, y hacer poemas sea para él una condición de vida: algo ineludible y cotidiano. Acostumbrados a poetas parcos y medidos, algunos lectores se escandalizan, otros se azoran y quedan estupefactos: ¿cómo leer una obra tan vasta?, se preguntan. Mientras tanto, Kozer ya escribió un poema más. Su pasión, su obsesión, es difícil de explicar. En otra parte he dicho que Kozer practica la escritura como un modo de sobrevivencia; se sabe que se está vivo, porque hay testimonio de ello en el papel.[28]

Sefamí contaba que la elaboración de aquel cuaderno había sido aleatoria, reuniendo composiciones de diversas carpetas, correspondientes a los más de 3500 poemas que Kozer había escrito para entonces. Su interpretación de este derroche de escritura se remontaba a la tradición bíblico-cabalística de la comunidad hebrea, según la cual, "el buen judío está obsesionado con los números y las letras".[29] No sería desencaminado situar en ese momento de constatación del peso de una obra y de combinaciones cabalísticas con la misma el acercamiento más claro de Kozer a la idea sarduyana del neobarroco como una estrategia discursiva ligada al gasto o el despilfarro de una expresión literaria.[30] Gasto y despilfarro que, a la vez que ironiza el capitalismo, afirma la libertad del sujeto por medio de la multiplicación de sus testimonios.

En otro estudio sobre la poesía de Kozer, Jacobo Sefamí intentaba explicar aquella pulsión escrituraria a partir de la explotación de la figura retórica de la metonimia, la cual le permitía hilvanar digresiones sin perder una unidad de sentido.[31]

[28] José Kozer, *AAA1144,* Verdehalago, México, 1997, p. 5.

[29] *Ibid.,* p. 6.

[30] Severo Sarduy, *Obra completa,* t. II, FCE/ALLCA/Unesco, Madrid, 1999, p. 1250.

[31] Jacobo Sefamí, "Llenar la máscara con las ropas del lenguaje: José Ko-

Este procedimiento rizomático, que lo acercaba a Lezama, aunque desde un estilo muy diferente, tenía que ver también, según Sefamí, con la Cábala, el Zohar y una tradición literaria judíolatinoamericana, que podría remontarse a *Los gauchos judíos* (1910) de Alberto Gerchunoff, que no carecía de accesos al neobarroco. Para esa tradición, la diáspora no era únicamente el espectro de exilios que se desprendía de la América Latina moderna sino un elemento constitutivo de las ciudadanías migratorias y multiculturales de esa región hispánica desde los tiempos de la conquista.

Kozer, que desde su años formativos en Nueva York había tratado de inscribirse en una corriente literaria transnacional, llegaba a la década de 1990 en condiciones de lograrlo. Esa inscripción tuvo su mayor acierto con la edición de la antología *Medusario. Muestra de poesía latinoamericana* (1996), elaborada por él mismo, Roberto Echavarren y Jacobo Sefamí, y editada por el Fondo de Cultura Económica en la Ciudad de México. Los antólogos lograron reunir una veintena de poetas latinoamericanos que marcaban el campo literario de la región a fines del siglo XX: los mexicanos David Huerta, Coral Bracho y Gerardo Deniz; los peruanos Rodolfo Hinostroza, Mirko Lauer y Reynaldo Jiménez; los argentinos Néstor Perlongher, Tamara Kamenszain y Arturo Carrera; los uruguayos Eduardo Milán, Eduardo Espina y Marosa di Giorgio; los brasileños Haroldo de Campos, Wilson Bueno y Paulo Leminski; los chilenos Raúl Zurita y Gonzalo Muñoz…[32]

En los prólogos y epílogos de Echavarren, Perlongher y Kamenszain se intentaba ubicar la emergencia de la poesía neobarroca latinoamericana entre las décadas de 1970 y 1980, pero su apogeo se localizaba en la propia década de 1990. Aunque la antología arrancaba con "El llamado del deseoso" de Lezama —entendiendo a éste, en la línea de Severo Sarduy, como creador

zer", en Jacobo Sefamí (ed.), *La voracidad grafómana: José Kozer. Crítica, entrevistas y documentos,* UNAM, México, 2002, pp. 189-229.

[32] Roberto Echavarren, José Kozer y Jacobo Sefamí, *Medusario: muestra de poesía latinoamericana,* FCE, México, 1996.

de aquel estilo— y los editores reconocían la deuda de aquellos poetas con Nicanor Parra, Haroldo de Campos y otros poetas neovanguardistas de mediados de siglo, había en aquella muestra una deliberada asociación de las poéticas neobarrocas con el momento posmoderno y, a la vez, poscomunista que vivía por entonces la cultura latinoamericana.[33] El neobarroco, que mucho debía a la poesía coloquial de aquellas vanguardias, era a la vez una ruptura con la poesía comprometida de las décadas de 1960 y 1970, alentada por la Revolución cubana, y un giro hacia nuevas formas de representación literaria y política.[34]

La ya vasta teorización sobre el neobarroco latinoamericano ha producido visiones discordantes sobre dicho concepto y sobre el papel de la antología de Kozer, Echavarren y Sefamí en la articulación de aquella estética. En un estudio reciente de Cristo Rafael Figueroa Sánchez, por ejemplo, el neobarroco no se identifica con la perspectiva inicial de Haroldo de Campos y Severo Sarduy —acaso los primeros en utilizar y remitir el término a Lezama— o, siquiera, con la generación poética presentada por Kozer, Echavarren y Sefamí sino con autores canónicos del *boom* como Alejo Carpentier, Gabriel García Márquez o Julio Cortázar.[35] En textos más clásicos, producidos precisamente en las décadas de 1980 y 1990, como *La estrategia neobarroca* (1987), el estudio de Gustavo Guerrero sobre Severo Sarduy; *Neo-Baroque. A Sign of the Times* (1992), de Omar Calabrese, prologado por Umberto Eco; "El campo intelectual del neobarroco. Recorrido histórico y etimológico" (1994) de

[33] *Ibid.,* p. 94.

[34] Esas nuevas formas de representación, asociadas al neobarroco, han sido estudiadas por dos jóvenes críticos: Gerardo Fernández Fe, "José, el impuro", *La Habana Elegante,* núm. 40 (invierno de 2007) (www.habanaelegante.com), y Pablo de Cuiba Soria, "José Kozer, la poesía por el todo", *Crítica,* núm. 141 (enero-febrero de 2011, Puebla), pp. 109-121.

[35] Cristo Rafael Figueroa Sánchez, *Barroco y neobarroco en la narrativa hispanoamericana. Cartografías literarias de la segunda mitad del siglo xx,* Pontificia Universidad Javeriana/Editorial Universitaria de Antioquia, Antioquia, 2008, pp. 119-155, 157-181 y 210-262.

Pierrette Malcuzynski, editado por la revista habanera *Criterios; La modernidad de lo barroco* (1998) de Bolívar Echeverría, o *Barroco y modernidad* (2000) de Irlemar Chiampi, la genealogía de esa estética se relaciona con la lectura sarduyana de Lezama y con la condición posmoderna.[36]

La aproximación de Kozer a la estrategia neobarroca tuvo poco que ver con sintonías explícitas entre su poética y la de Lezama o Sarduy. Kozer vio en el neobarroco una continuación del quiebre lírico e ideológico que algunos poetas como Nicanor Parra habían impulsado desde la década de 1970. En el Nueva York hispano de esa misma década, Parra ejerció una influencia poderosa, en tanto figura de la vanguardia literaria de la izquierda latinoamericana que cuestionaba formas tradicionales de compromiso político, como las promovidas por la Revolución cubana. Parra, que en las décadas de 1950 y 1960 había revolucionado la lírica regional con cuadernos como *Poemas y antipoemas* (1954) y *Obra gruesa* (1969), se había sumado también al llamado a favor de una poesía social y comprometida, como puede leerse en su célebre *Manifiesto* (1963), donde demandaba que los poetas "bajaran del Olimpo" y dejaran de asumirse como "alquimistas" o "demiurgos" del universo.[37]

Sin embargo, como han estudiado Niall Binns y Matías Ayala, desde fines de la década de 1960, Parra comienza a establecer analogías entre la Iglesia católica y el Partido Comunista, que insinuaban un distanciamiento del compromiso político

---

[36] Gustavo Guerrero, *La estrategia neobarroca. Estudio sobre el surgimiento de la poética barroca en la narrativa de Severo Sarduy,* Editions del Mall, Barcelona, 1987; Omar Calabrese, *Neobaroque. A Sign of the Times,* Princeton University Press, Nueva Jersey, 1992; Pierrette Malcuzynski, "El campo intelectual del neobarroco. Recorrido histórico y etimológico", *Criterios* (La Habana, julio-diciembre de 1994), pp. 131-170; Bolívar Echeverría, *La modernidad de lo barroco,* Era, México, 1998; Irlemar Chiampi, *Barroco y modernidad,* FCE, México, 2000. Véase también el magnífico ensayo de Arturo Dávila, "El neobarroco sin lágrimas: Góngora, Mallarmé, Alfonso Reyes", *Hipertexto,* núm. 9 (invierno de 2009), pp. 3-35.

[37] Nicanor Parra, *Obra gruesa. Texto completo,* Andrés Bello, Santiago de Chile, 1983, pp. 153-156.

defendido por las izquierdas de la región.[38] Dicho distanciamiento se acentuó, como es sabido, cuando Casa de las Américas, la institución cultural cubana, eliminó a Parra del jurado de su concurso de poesía en 1970, por haber asistido a una recepción en la Casa Blanca, en la que tomó té con Pat Nixon, la esposa del presidente. Parra, que había seguido de cerca la ruptura de Casa de las Américas y el gobierno cubano con Pablo Neruda, en 1966, por la asistencia del Premio Nobel a un congreso del Pen Club de Nueva York, decidió, entonces, romper con Cuba. La ruptura se produjo el mismo año que llegaba a la presidencia de Chile Salvador Allende y el gobierno de Unidad Popular, complicando las relaciones entre la izquierda intelectual chilena y el socialismo cubano. En dos cuadernos de principios de la década de 1970, *Artefactos* (1972) y *Emergency Poems* (1972), que marcaron definitivamente al joven Kozer, se lee aquella articulación de una vanguardia poética con una crítica al compromiso tradicional de la izquierda latinoamericana.

Cuba es uno de los temas de *Emergency Poems* (1972), libro que se publicó precisamente en Nueva York cuando Kozer comenzaba a reunir sus primeros poemas. Junto a constantes referencias a Roma, Moscú y Washington, Cuba aparecía como el cuarto punto cardinal de la Guerra Fría, que demandaba fuertes inversiones de lealtad: "se sabe perfectamente que no hay alternativa posible/todos los caminos conducen a Cuba/pero el aire está viciado/y respirar es un acto fallido", decía uno de aquellos poemas.[39] Y en otro se establecía una secuencia analógica entre la Casa Blanca, la Casa de las Américas y la Casa de Orates, que aludía directamente a su conflicto con La Habana y a la mentalidad paranoide que subya-

[38] Niall Binns, *Un vals en un montón de escombros. Poesía hispanoamericana entre la modernidad y la posmodernidad*, Peter Lang Verlag, Berna, 1999, p. 75-77; Matías Ayala, "Nicanor Parra y su itinerario político: de los sesenta a los ochenta", *Persona y sociedad*, vol. XX, núm. 2 (Universidad Alberto Hurtado, 2006), pp. 161-176.

[39] Nicanor Parra, *Emergency Poems*, Nueva York, New Directions, 1972, p. 84.

cía a la batalla ideológica de la Guerra Fría. Las lecturas de Parra que hizo el joven Kozer se plasman con nitidez en poemas de sus primeros cuadernos, como *Padres y otras profesiones* (1972), en los que aparece no sólo una idea del exilio de Cuba como desposesión de bienes o como pérdida del entorno sino una práctica del verso más allá de los cánones del conversacionalismo lírico, predominante en la poesía latinoamericana de la década de 1960.

La impronta de Parra encamina el itinerario vanguardista de Kozer por una ruta diferente a la de sus contemporáneos en la isla. Los poetas de la generación de Kozer, que comenzaron a escribir en esa misma década, debieron desarrollar sus poéticas bajo la fuerte gravitación simbólica de la epopeya revolucionaria. Tanto los poetas del grupo de Ediciones El Puente (Miguel Barnet, Nancy Morejón, José Mario, Isel Rivero, Reinaldo García Ramos, Ana María Simo, Belkis Cuza Malé...) como los del suplemento literario *El Caimán Barbudo* (Luis Rogelio Nogueras, Guillermo Rodríguez Rivera, Félix Contreras, Raúl Rivero, Víctor Casaus...).[40] Incluso en las líricas más personales o despegadas del contexto histórico de la isla, se sentía la presencia del gran cambio social y político impulsado por la Revolución.

Para Kozer, en cambio, el trastorno de su mundo no estaba asociado con la Revolución sino con el exilio. La desposesión y el traslado de su familia a los Estados Unidos conformaban la epopeya que simbólicamente gravitaba sobre el proceso de escritura. La Revolución cubana era la causa de aquel exilio y, a la vez, un evento que nutría el imaginario de la propia izquierda neoyorquina dentro de la que Kozer se movía. La fractura de la intelectualidad latinoamericana frente al socialismo cubano, a partir del caso Padilla, entre 1968 y 1971, la llegada al exilio de varios poetas de su misma generación, que habían iniciado su obra en la isla, y la experiencia de Nicanor Parra y Haroldo de Campos, dos vanguardistas que no comulgaban con la izquierda

---

[40] Véase la excelente antología de Jesús Barquet, *Ediciones El Puente en La Habana de los años sesenta: lecturas críticas y libros de poesía*, Ediciones del Azar, Chihuahua, México, 2010.

ortodoxa, tuvieron una poderosa influencia en la fundación de la escritura de Kozer.

La inscripción de Kozer en la estrategia neobarroca tal vez debería entenderse como un gesto estético y, al mismo tiempo, político. Las conexiones de Kozer con la poesía y la narrativa de Lezama o de Sarduy eran más bien débiles, pero el neobarroco era una fórmula que permitía rescatar el legado de aquella "vanguardia otra", definida por Octavio Paz en *Los hijos del limo* (Lezama, Molina, Parra, Girri, Sabines, Juarroz, Mutis…), sin tener que hacer escala en la poesía comprometida que demandaba la Revolución cubana.[41] La familiaridad que Kozer desarrolló con el coloquialismo de Parra o con el concretismo de Campos hizo que su apropiación de Góngora, Quevedo y buena parte del Siglo de Oro diera como resultado un neobarroco distinto al de Lezama y al de Sarduy y que, sin embargo, compartía con éstos la exploración de los límites del lenguaje y, a la vez, el distanciamiento de los discursos épicos del socialismo cubano. Ese Kozer que, en la década de 1970, siente llegar al borde de la lengua es la personificación cubana de la vanguardia alternativa, sugerida por Paz:

> El idioma dio de sí lo que pudo, a mi
> madre se lo agradezco, y a la Madre de
> madres de los idiomas: su bonche y
> alharaca a babor, a estribor han dejado
> estela ubérrima, Poesía, un túmulo vacío,
> un catafalco deshabitado (pueril) (pueril)
> y de regreso, cortejo fúnebre del lenguaje,
> su cero utópico multiplicando indócil
> la extremaunción (mil y una noches, con
> sus días) de mis poemas en extinción.[42]

---

[41] Octavio Paz, *Obras completas. La casa de la presencia*, 1, FCE/Círculo de Lectores, México, 1994, p. 461.

[42] Jesús J. Barquet y Norberto Codina, *op. cit.*, pp. 394-395.

La imagen de la poesía como "túmulo vacío" o "catafalco deshabitado", una vez que se ha llegado al límite del lenguaje, recuerda la teorización de barroco que Gilles Deleuze hiciera a partir de las mónadas de Leibniz. Al carecer de ventanas, puertas y agujeros, las mónadas debían resolver su movilidad o su progresión por medio del pliegue.[43] Ese trabajo constante sobre la misma superficie, sobre el mismo tejido, que Deleuze observaba en la monadología leibniziana —y también en el neobarroco de Sarduy— puede atribuirse a la poética de José Kozer. La ausencia de fuertes sentidos extralíricos, como los que generó la Revolución cubana, concentró la poesía de Kozer en los pliegues del lenguaje. El "cero utópico" sería una buena metáfora de esa concentración en el bordado poético que genera el desalojo de enunciados redentores y que coloca a la poesía frente a su límite.

José Kozer, hijo de un sastre judío y comunista, exiliado de la Revolución cubana, vendría siendo esa encarnación del neobarroco poscomunista en la literatura latinoamericana. La poesía como testimonio incesante del paso del poeta por el mundo, como plataforma para la memoria de una familia, una comunidad y una lengua perdidas y como oficio de tejido y bordado en los límites del lenguaje, hacen de este escritor cubano uno de los ejemplos más distinguibles de una vanguardia literaria, distante de las traducciones políticas convencionales de la izquierda regional. La vanguardia de Kozer se prueba en la escritura, no en la historia, y esta elección supone una experiencia radical de las facultades liberadoras de la poesía.

[43] Gilles Deleuze, *El pliegue. Leibniz y el barroco,* Paidós, Barcelona, 1989.

VIII. El mar de los desterrados

Para Orlando González Esteva,
poeta en Miami

En Cuba, como en cualquier otra sociedad agraria latinoamericana, el discurso de la tierra se convirtió en una práctica afirmativa de la literatura y el pensamiento durante el siglo xix y la primera mitad del xx. De José Antonio Saco a Ramiro Guerra, de José María Heredia a José Lezama Lima y de Cirilo Villaverde a Enrique Labrador Ruiz, la representación del paisaje propio fue un correlato de la conquista de la tierra que sucedía en la historia económica y política de la isla. Los patriotismos y nacionalismos intelectuales de la modernidad cubana son profusos en pastorales del suelo, la flora y la fauna y en consagraciones de un sujeto y una comunidad que viven y mueren por la tierra. La subjetividad que es narrada en esa tradición podría ser definida como "territorial", en el sentido que George Steiner ha dado a este término.[1]

Todavía en las primeras décadas de la Revolución, la tierra era el centro gravitacional de los discursos culturales en la isla y en el exilio. Dentro, se celebraba la conquista del suelo; fuera, la pérdida del mismo. Desde la última década del siglo xx, que coincide con la primera de la globalización poscomunista, la crisis de ese modo de representación se ha vuelto ineludible. Dicha crisis tiene como trasfondo estructural un cambio dramático en la economía cubana, la cual deja de ser, finalmente, agraria y azucarera y comienza a ser posindustrial y de servicios, sin haber experimentado nunca una industrialización o una tecnificación plenas. Ese país sin azúcar, unido al crecimiento

---

[1] George Steiner, *Extraterritorial,* Siruela, Madrid, 2002, pp. 17-20.

demográfico y económico del exilio, está produciendo un cambio antropológico que agrandará, cada vez más, la distancia entre el futuro posnacional y el pasado nacionalista de Cuba.

Ganar la tierra es siempre, como intuía Carl Schmitt, perder el mar.[2] Este ensayo propone un recorrido por las imágenes del mar en la literatura cubana de los dos últimos siglos, con el fin de contribuir al entendimiento de esa pérdida. Cuba es una cultura insular donde abunda la representación negativa y, por momentos, diabólica de lo marino. El recorrido nos permitirá desembocar en el estudio de la reconciliación con el mar que ha producido la literatura del exilio cubano en el último medio siglo. La conclusión a la que se quiere llegar aquí, sin mucha certeza, es que, aunque la literatura del exilio no carece de imágenes telúricas, en ella el mar ha desplazado a la tierra, como centro gravitacional de los discursos. Esta hipótesis permitiría cuestionar muchas de las visiones que la historiografía y la crítica de la literatura cubana produjeron a mediados del siglo XX, cuando la epopeya de la tierra llegaba a su apoteosis.

El muerto enorme

Más de un crítico ha reparado en lo sombrías que son algunas representaciones marinas de la poesía cubana. La arqueología perezosa casi siempre repara en el mar "inmenso que no en vano tiende sus olas entre Cuba y España", del "Himno del desterrado" de José María Heredia o en la "perla del mar, la brisa, la vela turgente, el ancla que se alza y el buque estremecido, que las olas corta y silencioso vuela" de "Al partir" de Gertrudis Gómez de Avellaneda.[3] El poema "El mar" de José Jacinto Milanés, bien leído, resulta más un canto al sol y a la luna que al océano. Allí el mar es "bello" cuando el sol lo "pla-

[2] Carl Schmitt, *Tierra y mar. Una reflexión sobre la historia universal*, Trotta, Madrid, 2007, pp. 26-29.
[3] José Lezama Lima, *Antología de la poesía cubana*, t. II, Verbum, Madrid, 2002, p. 70.

tea" o cuando la luna asciende con su claridad en el cielo.[4] Desde entonces, el misterio del mar quedó asociado, en la poesía cubana, a lo indecible o lo irrepresentable: "¿quién traducirá el acento/con que nos habla el mar? No hay voz alguna./¿Quién pintará el augusto movimiento/con que agita las orlas una a una/Del manto deslumbrante y opulento?"[5] Milanés calla su respuesta: nadie.

En el largo poema mitológico "Cuba", de Joaquín Lorenzo Luaces, que tanto admiraba José Lezama Lima, podría leerse el relato de los orígenes marinos de la isla. Allí, Cuba, nacida del Océano, es cortejada por Apolo, de quien la isla huye refugiándose en el fondo del mar. Apolo y Neptuno luchan por la posesión de Cuba y, tras la mediación de Júpiter, la isla es cedida a Apolo. Luego Eolo disputa el amor de Cuba a Apolo, desatando con sus "excesos" una tormenta, hasta que el padre, Neptuno, salva nuevamente a su hija. La reaparición de la isla, que es, como decía Lezama, obra de Neptuno, se presenta en el poema como un triunfo del mar sobre los otros elementos naturales. Un triunfo que es, a su vez, un silenciamiento de la naturaleza y un abandono del padre marino: "insiste el Numen, Cuba lo avasalla,/triunfa el Amor y la Natura calla".[6]

Hasta Heredia, la poesía cubana representó con elocuencia las frutas, los pájaros, las palmas, los huracanes, las montañas, los valles, los ríos y hasta las cataratas: todo un mundo ligado al concepto romántico de *paisaje*. Tanto en la poesía mediterránea como en la anglosajona, el mar era un elemento constitutivo de ese paisaje, que significaba no sólo el misterio o la "furia" divina sino la fuente de vida de culturas pesqueras y marineras. La estetización del océano en la poesía europea no prescindía de la identificación metafísica del mar con el mal, pero era abundante en celebraciones del espectáculo marino y en el alojamiento de las orillas y las costas como zonas de contacto e

[4] *Ibid.*, p. 229.
[5] *Idem.*
[6] *Ibid.*, p. 100.

intercambio. La figuración poética de la costa, tan presente en todo el romanticismo europeo, es escasa en la poesía cubana.

Los primeros poemas plenamente marinos de la literatura cubana tal vez sean "Calma en el mar" (1832) y "Al Océano" (1836) de Heredia, dos composiciones que reproducían aquella integración del mar al paisaje, propia del romanticismo. En el primero, el mar es, sobre todo, el espejo del cielo, donde se reflejan la luna, el sol y las estrellas. En el segundo, escrito durante el último viaje del poeta a Cuba, el océano aparece generosamente estetizado, como una entidad sagrada, creadora de una música equivalente a la celestial. El poeta festeja su reencuentro con el mar —"tras once años de ausencia"—, definiéndolo como "augusto primogénito del caos" y "divino esposo de la Madre Tierra". En los versos finales, Heredia agradece al mar por haber apaciguado al "tirano", que, tras desterrarlo, le permite el regreso a la isla:

> ¿Quién es, sagrado Mar, quién es el hombre
> A cuyo pecho estúpido y mezquino
> Tu majestuosa inmensidad no asombre?
> Amarte y admirar fue mi destino
> Desde la edad primera;
> De juventud apasionada y fiera
> En el ardor inquieto,
> Casi fuiste a mi culto noble objeto.
> Hoy a tu grata vista, el mal tirano
> Que me abrumaba, en dichoso olvido
> Me deja respirar. Dulce a mi oído
> Es tu solemne música, Océano.[7]

El poema "Sobre el mar" de Juan Clemente Zenea, dedicado a Rafael María de Mendive, y que no por gusto lleva un exergo de Byron, poeta marino, es elusivo. Ahí, como en Heredia, se escu-

[7] José María de Heredia, *Poesías completas,* t. II, Municipio de La Habana, La Habana, 1941, p. 237.

cha y se traduce la "voz del océano", que en el poema de Milanés aparecía como un gigante mudo. Pero al leer con cuidado, se repara en que la composición de Zenea, más que al mar mismo, está dedicada al barco sobre el que navega y piensa el poeta. La preposición "sobre", del título, es física, no intelectual, ya que se refiere literalmente al barco, desde cuya borda el poeta se asoma y ve la "gaviota pasajera que las blancas alas batía". El poeta, solo y errante, encima del mar, es decir, sobre el mar, piensa en su amada, consciente de que el acto de pensar el mar es, por naturaleza, solitario y triste:

> Junto al mástil recostado
> Cantando un marino estaba,
> Que como yo se gozaba
> En sentir y recordar.
> Y devoraban las brisas
> Sus quejas en el camino
> Que éste es el triste destino
> Del que canta sobre el mar.[8]

El canto sobre el mar al que se refiere Zenea es el que se produce abordo de los barcos, de ida o de vuelta de una isla esclava. Es así que el mar se afirma como una presencia trágica en la poesía cubana: un elemento natural, cuyas funciones comunicativas están asociadas a la condición colonial y esclavista de la isla, más que a su progreso o su libertad. El soneto "En el mar", de Julián del Casal, reitera ese estado de soledad y tristeza en los barcos: otra vez, la "vela turgente", el "raudo vuelo" —aunque, ahora, del pez, "flecha de plata"—, bajo "las ondas sosegadas" y la fatal certidumbre de que en el mar, la tierra, cualquier tierra, pierde sentido como lugar de pertenencia: "¿qué me importa vivir en tierra extraña/O en la patria infeliz en que he nacido,/Si en cualquier parte he de encontrarme solo"?[9]

---

[8] José Lezama Lima, *Antología de la poesía cubana,* t. III, Verbum, Madrid, 2002, pp. 186-187.

[9] Julián del Casal, *Selección de poesías,* Cultural, La Habana, 1931, p. 170.

En otro soneto de Casal, titulado "Marina", la visión del mar no es tan trágica o melancólica, pero sí morbosa o fantasmal, a lo Poe. El "náufrago bergantín de quilla rota, mástil crujiente y velas desgarradas", que flota sobre las "aguas verdinegras", y el "cuervo marino de azuladas plumas", que "olfatea el cadáver nacarado", nos transportan al escenario de las *Aventuras de Arthur Gordon Pym* o de las leyendas góticas sobre buques fantasmas y sirenas asesinas.[10] José Martí llevará esa tradición poética, de melancolía y horror marinos, a su mayor transparencia, en el literalmente titulado poema "Odio el mar", incluido en su cuaderno *Versos libres*. Todas las figuraciones negativas del mar —la diabólica, la furiosa, la vengativa, la desoladora, la colonial, la esclavista, la despótica— aparecen en el poema de Martí.

"Odio el mar, sólo hermoso cuando gime", comienza diciendo Martí, para quien, al igual que para Zenea o Casal, el océano es un monstruo que habita debajo de los barcos: un "fantástico demonio".[11] El mar de Martí es "vasto, llano, igual y frío", no cual la "selva hojosa", sino como el desierto o como su "serpiente letal".[12] Un mar que es un "muerto enorme", un "triste muerto", habitado por "odiosas, torpes y glotonas criaturas".[13] Si Heredia extrañaba las palmas en las cataratas del Niágara, Martí las echará de menos en el fondo del mar: "sin palmeras, sin flores, me parece/siempre, una tenebrosa alma desierta".[14] En este poema, escrito en un estado de irritación política, el mar acaba siendo identificado con la muerte, la prostitución y la tiranía. Las criaturas del mar, según Martí, se parecen a los "ojos del pez que harto expira" o a los del "gañán de amor que en brazos tiembla/de la horrible mujer libidinosa".[15] Y concluye: "odio el mar, que sin cólera soporta/sobre el

10 *Ibid.,* p. 97.
11 José Martí, *Poesía completa,* UNAM, México 1998, p. 102.
12 *Ibid.,* p. 103.
13 *Idem.*
14 *Idem.*
15 *Ibid.,* p. 104.

lomo complaciente, el buque/que entre música y flor trae a un tirano".[16]

Otro poema de Martí, un poco más benevolente, "Como el mar es el alma", recurre a una heterodoxa, aunque también clásica, identificación de Psique, no con Eolo, que la rapta de la roca, sino con el padre de éste, Poseidón. Ahí se reproduce el símil del vaivén del alma con el oleaje marino y no con los vientos terrestres. El mar queda plasmado como una entidad ambivalente a la que Martí confiere un sentido peyorativo: el oleaje puede remontar el alma "hasta el cielo" o puede llevarla "hasta el siniestro abismo".[17] Cuando las olas empujan, bajo el sol, se ven los "claros pliegues y las crestas blancas", pero cuando "se hunden en la sirte, rugen/revientan y oscurécense las olas".[18] El mar es aquí símbolo de mudanza, de inestabilidad, no de cambio, como en el clásico símil del río heracliteano. Los conocidos versos sencillos —"el arroyo de la sierra me complace más que el mar"— confirman el imaginario potámico de Martí.

No fue Martí ni Casal sino el poeta matancero Bonifacio Byrne —cuya fama como versificador patriótico opacó su lírica "más llena de aciertos, matizaciones y riqueza verbal", como decía Lezama— quien más claramente representó el mar desde el modernismo cubano. En poemas de su inquietante cuaderno *Excéntricas* (1893), como "Los náufragos", "Las islas pálidas", "El buque fantasma" o "Mar adentro", el océano es esa cavidad gótica, habitada por espectros o criaturas anfibias, pero también un lugar de resurrección. Aunque los náufragos de Byrne eran seres tristes y olvidados, las playas aparecían como lugares de comunión: "abrazados, a la playa/arribaremos los dos/a la hora en que desmaya/el Sol, y se piensa en Dios".[19] El crítico cubano, exiliado en los Estados Unidos, Francisco Morán, ha observado una resonancia irlandesa en la poesía de Byrne

[16] *Idem.*

[17] *Ibid.,* p. 206.

[18] *Idem.*

[19] Francisco Morán (ed.), *Poesía y prosa de Bonifacio Byrne,* Stockcero, Doral, Florida, 2011, pp. 3, 10, 40 y 63.

—nieto de irlandés—, pero también en la de Casal, quien al igual que aquél añoraba esas "islas pálidas", en "donde existe la sangre apenas,/pues parece que se esconde/fugitiva entre las venas".[20]

En la poesía de la primera mitad del siglo xx cubano no desaparecen estas figuraciones malignas del mar, pero empiezan a ser compensadas por una visión más caribeña del mundo marino. En el poema de Mariano Brull, "Yo me voy a la mar de junio", por ejemplo, hay una celebración del mar que se inscribe en la tradición mediterránea y que asocia el océano con la libertad. Allí no sólo se vive la fiesta y el espectáculo de la playa, con sus "caracoles", sus "nubes blancas", las "olitas enlazadas en fuga" o la "geometría clásica" de los "ceñidores claros", como en un cuadro de Sorolla —aunque Brull prefiere citar al "dorio Picasso"— sino que se rinde culto a la libertad oceánica: "a la mar bárbara, ya sometida/al imperio de helenos y galos;/no en paz romana esclava,/con todos sus deseos alerta:/grito en la flauta apolínea".[21]

Son varios los poetas que, en la primera mitad del siglo xx cubano, vindicaron el mar: Regino Boti, Regino Pedroso y Emilio Ballagas, por ejemplo, escribieron elegías marinas. Eugenio Florit, traductor, como Brull, de *El cementerio marino* de Valéry, escribió algunos poemas mediterráneos en los que el mar aparece como una misteriosa fuente de vida. La cultura del balneario que se desarrolló en las últimas décadas republicanas, y que fuera interrumpida por la reconcentración azucarera de la economía revolucionaria, dejó indicios en la poesía cubana. Ahí están los poemas "Casa Marina" y "Mar de la tarde" de Octavio Smith, donde se habla de un "azulado, vivaz, rizado colmo" y de una "casa cogida por el mar, poblada de intrépidos tesoros de pausado rielar".[22] El mar de Smith, como el Medi-

[20] *Ibid.*, p. 13.

[21] Ángel Esteban y Álvaro Salvador, *Antología de la poesía cubana*, t. IV, Verbum, Madrid, 2002, p. 15.

[22] Jorge Luis Arcos (ed.), *Los poetas de Orígenes*, FCE, México, 2002, pp. 292-293.

terráneo de Florit, es una sustancia oscura y parlante: "manto suntuoso y taciturno", "fulminante y efímero", "gallardo", "vidrio pulsado ser por el henchido/soplo morado de tu verbo tardo".[23]

Pero la representación maligna, como decíamos, no desaparece en la poesía republicana. En "La isla en peso" (1943), por ejemplo, Virgilio Piñera dibujaba el mar que rodea la isla como una maldición. "La maldita circunstancia del agua por todas partes" y la imagen del mar y del puerto como zonas infecciosas y hediondas establecen, en el poema de Piñera, una tensión con la idea de la playa como lugar de desnudez, sexo y belleza. La utopía erótica de la playa, que resurgirá en Reinaldo Arenas, es el reverso de una idea ambivalente de la insularidad y, en general, del Caribe, como territorios de placer y decadencia, de liberación y esclavitud, bastante fiel a la historia de la región, que reacciona, a la vez, contra las idealizaciones católicas y los rechazos burgueses del mundo antillano.[24]

Como ha insistido la crítica, en las antípodas de esa lírica piñeriana podrían ubicarse no sólo los predicadores versos de "Oración y meditación de la noche", de Ángel Gaztelu, en los que el agua es siempre el líquido de la bendición —"siento ahora golpes de agua en mi frente/que aceleran mi sangre con ímpetu claro de gracia"— sino el poema "Isla" del marino poemario *Juegos de agua* (1947), de Dulce María Loynaz, donde se lee: "rodeada de mar por todas partes,/soy isla asida al tallo de los vientos…/Soy tierra desgajándose… Hay momentos/en que el agua me ciega y me acobarda,/en que el agua es la muerte donde floto…/Pero abierta a mareas y a ciclones,/hinco en el mar raíz de pecho roto./Crezco del mar y muero de él… Me alzo/para volverme en nudos desatados…!/¡Me come un mar abatido por alas/de arcángeles sin cielo, naufragados".[25]

[23] *Ibid.,* p. 302.
[24] *Ibid.,* pp. 116-128.
[25] Ángel Esteban y Álvaro Salvador, *op. cit.,* p. 50.

Del litoral a la tierra firme

José Lezama Lima enfrentó el dilema de la pertenencia de Cuba a una cultura de litoral o de tierra firme en su *Coloquio con Juan Ramón Jiménez* (1937). El estudioso Arnaldo Cruz Malavé observó que Lezama sugería una inversión de los términos con que el etnólogo y africanista alemán Leo Frobenius había definido las culturas de la costa y el interior del África meridional. En sus viajes por aquel continente, a principios del siglo XX, Frobenius había notado que mientras el "espíritu" de las costas era "mestizo, fantasioso, mañoso e imitativo", el de los interiores africanos era "auténtico, vigoroso y verídico".[26] Sin embargo, si se leen bien aquellos pasajes del *Coloquio,* encontraremos que, ante el cuestionamiento de Juan Ramón Jiménez, Lezama cede. Ese repliegue podría entenderse como un gesto que Lezama desarrollará en su obra posterior, especialmente en *La expresión americana* (1957), donde se abandona la rígida contraposición entre una cultura de litoral y otra de tierra firme.

Lo que provoca la supuesta inversión de Frobenius, por Lezama, es la afirmación de Juan Ramón Jiménez de que los habitantes de Cuba, como los de cualquier otra isla —Inglaterra, Australia o el planeta Tierra— "deben vivir hacia adentro".[27] Pero la reacción de Lezama, como se verá, no sólo es sutil sino que deja la puerta abierta al abandono de la tesis de las dos culturas. Lezama termina "subrayando" el reparo de Juan Ramón Jiménez a dicha tesis y citando a otra autoridad, José Ortega y Gasset, quien encarnaba la idea castellana y telúrica de una cultura continental. Nada más ajeno al insularismo cosmopolita del joven Lezama que el centralismo castellano de *España invertebrada* (1921). Tal vez, por ello, el poeta habanero se apoyaba en el filósofo madrileño para deslizar la réplica a su propia tesis:

[26] Arnaldo Cruz Malavé, *El primitivo implorante. El sistema poético del mundo de José Lezama Lima,* Ediciones Rodopi, Atlanta, Georgia, 1994, p. 47.
[27] José Lezama Lima, *Obras completas,* t. II, Aguilar, México 1977, p. 47.

Frobenius ha distinguido las culturas de litoral y de tierra adentro. Las islas plantean cuestiones referentes a las culturas de litoral. Interesa subrayar esto desde el punto de vista sensitivo, pues en una cultura de litoral interesará más el sentimiento de lontananza que el del paisaje propio. Se me puede contradecir con el rico paisaje interior de Inglaterra. Pero éste ha servido de poco, ya que no ha sido concertado por ninguna gran escuela de pintura, lo que nos hubiera afirmado verdaderamente que su paisajismo era legítimo. Me interesa subrayar su afirmación de que el insular ha de vivir hacia adentro, opinión que coincide con la del maestro Ortega y Gasset cuando afirma que los isleños sólo entornan los ojos a la vista de los barcos cargados de enfermedades infecciosas.[28]

Juan Ramón Jiménez vuelve a rebatir a Lezama con el argumento de que Casal y Martí, "los dos más expresivos estilos sensibles de Cuba", personificaban "la internación", la "vida hacia el centro", que era la "única manera de legitimarse" en la isla.[29] La reacción de Jiménez adopta, entonces y por única vez, un tono severo y regañón: "ustedes han estado más atentos a los barcos que les llegaban que al trabajo de su resaca. Su pregunta es más bien un problema de fauna marina".[30] Bajo la presión de Jiménez, Lezama retrocede y reduce el proyecto de la "teleología insular" a la "mínima fuerza secreta para decidir un mito" y centra la polaridad entre las culturas de litoral y tierra firme en las diferencias entre Cuba y México. La manera en que Lezama presenta esa contraposición, parece más ventajosa a la cultura continental mexicana que a la del litoral cubano:

Nosotros los cubanos nunca hemos hecho mucho caso de la tesis del hispanoamericanismo, y ello señala que no nos sentimos muy obligados con la problemática de una sensibilidad continental. La estabilidad y la reserva de una sensibilidad continental

[28] *Ibid.*, p. 48.
[29] *Ibid.*, p. 50.
[30] *Idem.*

contrastan con la búsqueda superficial ofrecida por nuestra sensibilidad insular. El mexicano es fino y discreto, ama la palabra larga y con sordina; nosotros, excesivos y falsamente expresivos, ofrecemos nuestra tragedia en "comino de chiste criollo", como ha dicho la Mistral.[31]

No parece que esta afirmación de la "superficialidad" cubana haya sido acrítica, por lo que la inversión de los términos de Frobenius sería equívoca: como el etnólogo alemán, Lezama pensaba, en 1937, que las culturas de litoral eran imitativas y falsas. Un poco más adelante, quedaba claro el sentido crítico del argumento, cuando contraponía la "reserva con que la poesía mexicana, tan aristocrática, acogió al indio, como motivo épico o lírico" a la "brusquedad con que la poesía cubana planteó de una manera quizá desmedida, la incorporación de la sensibilidad negra".[32] Es evidente que Lezama, con su crítica de la "incorporación" étnica de la poesía negrista, estaba mostrando su simpatía por la solución estamental mexicana. Frente a esa "incorporación" o a la "internación", de que hablaba Jiménez, Lezama parecía proponer un insularismo abierto y, a la vez, paciente, basado en el trabajo con la *resaca*: con los rastros que dejaba el mar de la cultura universal en la isla.

El *Coloquio* es un texto engañoso, en el que Lezama y Jiménez alternan sus lugares de enunciación, en una ambivalencia discursiva luego reconocida por ambos. Unas veces, Jiménez entiende el "insularismo" de Lezama como nacionalismo aldeano; otras, como frivolidad cosmopolita. Los inevitables equívocos de Jiménez, dada la propia ambivalencia del texto, se trasladaron a muchos de los exégetas y discípulos de Lezama, quienes asumieron el proyecto de una "teleología insular" como "internación" en las "esencias". El concepto de "internación", sin embargo, usado por Jiménez, no por Lezama, le parecía al poeta habanero algo parecido a esa "incorporación" de la poesía afro-

[31] *Idem.*
[32] *Idem.*

cubana en la generación de *Avance,* contra la que él reaccionaba. Frente a esa "incorporación", que se "lastra en un bizantinismo cuyo límite está en producir en el litoral un falso espejismo de escamas podridas, en crucigramas viciosos", Lezama proponía el trabajo con la *resaca,* "que no es otra cosa que el aporte que las islas pueden dar a las corrientes marinas...": "el primer elemento de sensibilidad insular que ofrecemos los cubanos dentro del símbolo de nuestro sentimiento de lontananza".[33]

A la ambivalencia del *Coloquio* se sumaba la contradicción de que Lezama defendiera la cultura del litoral desde un imaginario anticaribeño, que tomaba distancia de las poéticas afroantillanas. Es conocido el pasaje en que Lezama citaba el "consejo" de Waldo Frank a los cubanos: ejercer "un imperialismo antillano", "una hegemonía del Caribe".[34] No sería exagerado encontrar sintonías entre el discurso anticaribeño del joven Lezama y el que, por esos mismos años, desarrollaban intelectuales republicanos como Fernando Ortiz y Ramiro Guerra, y que ha estudiado Arcadio Díaz Quiñones.[35] La hegemonía blanca y católica, es decir, de ascendencia hispánica, dentro de la isla, era la condición de posibilidad para aquel predominio cubano sobre el Caribe. La "lontananza" y la "resaca" tenían que ver con una afirmación de aquella ascendencia, aunque no deja de ser significativo que Lezama no hiciera uso, entonces, del tópico del "Caribe andaluz", que seguramente habría agradado a Jiménez.

Cuando Lezama, luego de excusar su "inmotivada vanidad insular", recordaba el "consejo" del "norteamericano" Frank a los cubanos —ser imperio—, introducía una dimensión más compleja que la de las culturas del litoral, la costa o la cuenca. En *El nomos de la tierra* (1950), el gran tratado sobre el "derecho de gentes" del *ius publicum europaeum,* Carl Schmitt replan-

[33] *Idem.*
[34] *Ibid.,* p. 49.
[35] Arcadio Díaz Quiñones, *Sobre los principios. Los intelectuales caribeños y la tradición,* Universidad Nacional de Quilmes, 2006, Buenos Aires, pp. 319-376.

EL MAR DE LOS DESTERRADOS

teó la vieja polaridad de Frobenius por medio de la distinción entre las culturas costeras y las oceánicas. Las primeras, que en muchos casos —Francia y España durante el medievo mediterráneo o las Trece Colonias en el siglo XVIII— no eran más que la fase previa al desarrollo oceánico, serían propias de reinos o repúblicas con limitada proyección geopolítica. Las segundas (España en los siglos XVI y XVII, Gran Bretaña en el XVIII y el XIX, los Estados Unidos en el XX) eran características de los imperios. La "toma de la tierra", es decir, las conquistas de aquellas potencias eran obra de una trascendencia del estrecho mundo del litoral o la cuenca, por medio del control del Atlántico o el Pacífico.[36]

En un breve ensayo mito-poético, titulado *Tierra y mar* (1950), extraído de los borradores de su gran libro, Schmitt esclarecía aún más su teoría, apoyándose, ya no en Frobenius, sino en el poco conocido filósofo de la geografía alemana, discípulo de Hegel, Ernst Kapp. A partir de Kapp, Schmitt entendía la historia universal como un "gran drama en tres actos".[37] La relación del hombre con las aguas había pasado de los ríos (Egipto y el Nilo) a la cuenca (Venecia y el Mediterráneo) y de la cuenca al océano (Holanda y el Mar del Norte). En ese trayecto, el arte de la navegación se había desarrollado de manera asombrosa, reemplazando el remo con la vela y aprovechando la experiencia "mar adentro" de los balleneros, que, como ilustrara Herman Melville en *Moby Dick,* fueron los primeros en desafiar la dependencia del litoral. El relato de Schmitt, en el que la "lontananza" se asocia a las culturas oceánicas, habría deslumbrado a Lezama:

La historia universal comienza con el periodo "potámico", o sea, con las culturas fluviales del Oriente: la de los países ribereños del Tigris y Éufrates, y la del Nilo, en los imperios asirio, babiló-

[36] Carl Schmitt, *El nomos de la tierra en el Derecho de Gentes del* ius publicum europaeum, Comares, Granada, 2002, pp. 163-214.
[37] Carl Schmitt, *Tierra y mar. Una reflexión sobre la historia universal,* Trotta, Madrid, 2007, p. 30.

nico y egipcio. A ellos sigue la llamada época "talásica", de una cultura de mares cerrados y cuencas mediterráneas, a la que pertenecen la Antigüedad griega y romana y el Medievo mediterráneo. Con el descubrimiento de América y la circunnavegación de la tierra, se llega al último y más alto estadio, al periodo de la cultura oceánica, cuyos protagonistas son pueblos germánicos.[38]

En textos posteriores al *Coloquio,* como *La expresión americana* (1957) y las conferencias sobre poesía cubana de mediados de la década de 1960, Lezama se aproximará a esa dimensión oceánica desarrollada por Schmitt. En el texto sobre Rubalcava, de 1966, Lezama veía la poesía criolla de Zequeira, Rubalcava y Manuel María Pérez y Ramírez como expresión de una cuenca, la caribeña (Cuba, Santo Domingo, Venezuela), mientras que la poesía romántica de Heredia y la Avellaneda se ampliaba a lo que entonces él llamaba el "mediterráneo nuestro" (España, México el Caribe y los Estados Unidos). Con los modernistas, especialmente con Casal y Martí, la poesía cubana, según Lezama, alcanzaba una dimensión atlántica, que incluía a Gran Bretaña y a Francia.[39] Lezama, por lo visto, llegará a esta visión oceánica en su madurez, deshaciéndose, a veces, como él mismo dirá, de aquella empresa "hímnica", insularista y talásica, que tanto le criticó Juan Ramón Jiménez. A la luz de esa evolución, el anticaribeñismo del joven Lezama podría entenderse como el primer indicio de una teoría oceánica o, específicamente, atlántica de la cultura cubana, que reaccionaba contra el encierro de la cuenca.

Pero las ideas de litoral y resaca, de "lontananza" e "insularismo" del Lezama joven —el del *Coloquio,* no el de *La expresión americana*— tuvieron claras resonancias en el importante libro que, veinte años después, Cintio Vitier presentará como realización de aquel proyecto de teleología insular: *Lo cubano*

---

[38] *Idem.*

[39] José Lezama Lima, *Fascinación de la memoria,* Letras Cubanas, La Habana, 1993, pp. 88-89.

EL MAR DE LOS DESTERRADOS

en la poesía (1958). Entre las diez "esencias de lo cubano revela-
das en la poesía", propuestas por Vitier, hay cuatro que dialogan
con aquellas nociones de Lezama: *ingravidez, intrascendencia,
lejanía y despego*.[40] Estas "constelaciones de valores" —la fórmula menos esencialista que usa Vitier— están construidas sobre
una territorialización de la poesía cubana, en la que se han de-
bilitado los elementos marinos del primer insularismo lezamiano. Uno de los conceptos primordiales del libro de Vitier
es el de "interiorización de la naturaleza o el paisaje", proceso
que tiene lugar entre fines del XVIII y mediados del XIX, o entre
Heredia y Martí, generando una teluricidad poética, similar a
la que demandaba Juan Ramón Jiménez.[41]

En la propia obra de Lezama, lo telúrico también desplazará
progresivamente a lo marítimo. Perséfone y Proserpina serán
más importantes que Poseidón o Neptuno, ya que las primeras
deidades estaban siempre relacionadas con la germinación y el
nacimiento. El mar y, más específicamente, el pez, símbolo de
los primeros cristianos, aparecerá con frecuencia, en la literatura de Lezama y de otros poetas católicos de *Orígenes,* como
metáfora de la muerte. Uno de aquellos poetas, Gastón Baquero,
en cambio, dio al pez una connotación simbólica más plena,
como imagen de la muerte y la resurrección, en su gran poema
"Testamento del pez", uno de los más elocuentes homenajes
poéticos rendidos a La Habana. Lezama, sin embargo, persistió
siempre en el "silencio" o la "averiguación callada" del agua,
como Milanés con su océano mudo, y en sus poemas "Pez nocturno" o "Un puente, un gran puente", de *Enemigo rumor,* rela-
cionó el animal plateado con la muerte.[42]

El pez de Baquero mira La Habana desde el mar, pero se
sabe ignorado y olvidado por esa ciudad que ama. Los ojos del
pez de Baquero, a diferencia de los de Martí y Lezama, están

[40] Cintio Vitier, *Lo cubano en la poesía,* Instituto del Libro, La Habana,
1970, pp. 573-575.

[41] *Ibid.,* pp. 71-100.

[42] José Lezama Lima, *Poesía completa,* Letras Cubanas, La Habana, 1991,
pp. 44, 73-76 y 506-507.

vivos y ven. Pero el pez se siente no mirado: como una "isla invisible" o como una "sombra". Su amor por la ciudad nace, precisamente, del convencimiento de que La Habana, a diferencia de él, es inmortal: "porque te veo lejos de la muerte,/porque la muerte pasa y tú la miras/con tus ojos de pez, con tu radiante/rostro de un pez que se presiente libre".[43] De modo que Baquero también asocia el pez con la muerte, pero imagina su transfiguración por obra del amor a la ciudad: "ante tus ojos, ante tu olvido, ciudad, estoy muriendo,/me estoy volviendo un pez en forma indestructible".[44] El testamento del pez no es más que la voluntad del animal plateado de renacer en la ciudad, volviéndose eterno como la ciudad misma:

> Quisiera ser mañana entre tus calles
> Una sombra cualquiera, un objeto, una estrella,
> Navegarte la dura superficie dejando el mar,
> Dejarlo con su espejo de formas moribundas,
> Donde nada recuerda tu existencia,
> Y perderme hacia ti, ciudad amada,
> Quedándome en tus manos recogido,
> Eterno pez, ojos eternos,
> Sintiéndote pasar por mi mirada…[45]

El mar que aparece en "Testamento del pez", así como en "Palabras escritas en la arena por un inocente", otro de los grandes poemas de Baquero, es una zona ligada a la muerte, el olvido y el sueño. La arena es la página donde escribe el inocente por ser el pedazo de tierra que media entre la muerte y la vida, entre el sueño y la vigilia, entre el olvido y el recuerdo. La inocencia de quien escribe en la orilla es propia de una criatura adánica, que nace o comienza a vivir, como un niño, donde el mar termina. "Bajo la costa atlántica —dice Baquero— a todo lo largo de la costa atlántica escribo con el dedo índice:/yo no

[43] Jorge Luis Arcos, *op. cit.*, p. 199.
[44] *Ibid.*, p. 200.
[45] *Ibid.*, p. 201.

sé."[46] Lezama expresará con mayor claridad esa condición del mar como límite, donde la disolución producida por el agua y la sal permiten, a su vez, la plena expresión del cuerpo: "en el mar —dice Lezama— todo reflejo se configura con instantaneidad, toda forma tiende a destruirse por un contenido sucesivo".[47] Y agrega: "solamente es en el mar donde el cuerpo habla, donde se expresa el cántico de su totalidad misteriosa".[48]

Perder la tierra, ganar el mar

A partir de 1959 la literatura cubana experimentó una fuerte reconcentración en los temas de la tierra y la sangre. La teluricidad buscada por poetas y pensadores, a lo largo de siglo y medio, tuvo entonces una oportunidad sumamente tentadora. La poesía y la prosa cubanas de las décadas de 1960 y 1970 se llenaron de alusiones al campo y a la ciudad, a la industria y al azúcar, a la guerra y a la patria. En sentido inverso a esa afirmación en la tierra, a ese reino de Anteo y Calibán, creado por la cultura revolucionaria, la literatura del exilio convirtió al mar en su plataforma simbólica. A partir de entonces, perder la tierra fue, para muchos escritores exiliados, ganar el mar y acceder a una región que, siguiendo nuevamente a Steiner, llamaríamos "extraterritorial".[49]

No deja de ser significativo que el principal destino del exilio cubano, en el último medio siglo, haya sido una playa: Miami. Justo cuando la historia política y cultural de la isla operaba una ruptura con la tradición del balneario, en tanto atributo del antiguo régimen burgués, el exilio redescubría la playa. Ganar el mar era restablecer el diálogo con el misterio y la horizontalidad oceánica, pero también atisbar una comuni-

[46] *Ibid.*, p. 172.
[47] Iván González Cruz (ed.), *Diccionario. Vida y obra de José Lezama Lima*, Generalitat Valenciana, Valencia, 2000, p. 296.
[48] *Idem.*
[49] George Steiner, *op. cit.*, pp. 20-24.

dad playera como restitución de la ciudadanía perdida. Un atisbo que no necesariamente era afirmativo, ya que la literatura del exilio produjo, lo mismo la utopía homoerótica de la playa de Reinaldo Arenas que la antiutopía de la "Playa Albina" de Lorenzo García Vega.

Bajo el socialismo, el mar no fue una ganancia sino una posesión o un dominio más del Estado. Los versos del poema "Tengo" de Nicolás Guillén, difundido hasta el hartazgo por el poder de la isla, decían, precisamente: "tengo que como tengo la tierra tengo el mar,/no country/no jailáif,/no tenis y no yacht,/sino de playa en playa y ola en ola,/gigante azul abierto democrático:/en fin, el mar".[50] Como pocos en la historia intelectual cubana, este último verso pasó al lenguaje popular, no como metáfora del mar sino del largo etcétera de la retórica revolucionaria. "En fin, el mar" se convirtió en una expresión de hastío y redundancia, en la que lo marino representaba la monotonía y el aplebeyamiento del orden social.

En el hermoso prólogo que Gastón Baquero escribió para el cuaderno *Las catedrales del agua* (1981), de Edith Llerena, el poeta de *Magias e invenciones* (1984) resumía aquella transición. La vida en la isla, sugiere Baquero, regida por discursos de afirmación en la tierra y sacrificios de sangre, demandaba una gravitación "hacia adentro", como le decía Juan Ramón a Lezama, que impedía percibir la insularidad misma y el mar que la rodeaba. En culturas así, la imaginación no abandonaba el suelo o trascendía lo marino tangible, en busca de exotismos lejanos. La distancia del exiliado, que Baquero no presenta como una bendición sino como un castigo, obliga a una evocación de la isla, el mar y la ciudad. Se trata de una necesidad física del desterrado: la plena figuración de lo que ha perdido:

Los hijos de las islas tardamos mucho tiempo en descubrir el mar. Primero soñamos con la nieve, con el lomo plateado del ti-

---

[50] Nicolás Guillén, *Obra poética 1920-1972*, Universidad de Guadalajara, Guadalajara, 1978, pp. 73-74.

gre, con la gracia del unicornio; y recorremos imaginativamente las llanuras de Gengis Khan y los palacios de Samarkanda, antes de descubrir el mar de todos los días de nuestra infancia. Sólo cuando perdemos la espuma, y el morado ventalle de la ridifigorgia, y la música perlada del gran caracol que derrama pegado al oído las melodías que luego copia el jilguero, comenzamos a sentir el dolor de la mar lejana. Es el manco quien sabe lo que vale un brazo; es el ciego quien conoce el tesoro de la contemplación ociosa de las nubes [...] El mar se levanta ante los ojos del ausente para servirle de espejo sin fondo, de trasluz, de cristal detrás del cual vemos viva la isla. En la ciudad aquella, tras el velo húmedo del mar, relumbran las calles, los edificios, los cielos, y todo fulge cristalizado, como esos paisajes de Noruega en invierno, encerrados dentro de una bola de espeso cristal, donde la nieve salta, y el abedul se levanta, salvador de su verde.[51]

Al quedar colocado del otro lado del mar, en la otra orilla, el exiliado se ve obligado a visualizar la isla con el agua que la circunda:

El alejado hijo de las islas ve a éstas, desde su remoto mirador lanzado hacia el otro lado del mar, como el submarinista ve detrás de su escafandra la vida coralina, los palacios de nácar y madréporas, las arpas de los húmedos musgos, el vaivén de los vivaces hipocampos, ¡caballitos de mar!, ¡corceles de la espuma!, y obligado a contemplar únicamente, a no alargar nunca la mano, a mirar a su isla propia con la casta lejanía que contempla la isla que es cada estrella en el jardín intocable del cielo. ¿Y no será mejor así, no será el destino mejor mirar a lo lejos, salvar en el recuerdo, librar de la pesadumbre del tiempo y de la muerte las ciudades amadas, las islas preferidas? ¡Cima ilesa de la isla intacta, cantaba, desde lejos, Mariano Brull. Intacta la isla, e intacto el

[51] Gastón Baquero, "Palabras para este libro de poemas", en Edith Llerena, *Las catedrales del agua,* Playor, Madrid, 1981.

mar, el cristal ofrecido a nuestros ojos para vencer la distancia y el tiempo, para que no nos falte ni un instante la presencia real e inmutable de las islas.[52]

La ganancia del mar es perceptible en un poeta como Heberto Padilla, quien estuviera inmerso en la primera década de la Revolución, con una poesía marcada, a favor o en contra, por la epopeya de aquellos años. En los poemas de *El justo tiempo humano* (1962), *Fuera del juego* (1968) e, incluso, *Provocaciones* (1972), se hablaba de héroes y bombas, de verdades, mentiras y páginas rotas, de trincheras, sacrificios y represiones. El primer cuaderno de Padilla en el exilio, en cambio, se tituló *El hombre junto al mar* (1981), y en él aparece una de las grandes parábolas marinas de la literatura exiliada cubana. Padilla celebraba el poder vital de las aguas: aunque frágil o debilitada, la criatura junto al mar nunca está muerta:

Hay un hombre tirado junto al mar
Pero no pienses que voy a describirlo como a un ahogado
Un pobre hombre que se muere en la orilla
Aunque lo hayan arrastrado las olas
Aunque no sea más que una frágil trama que respira
Unos ojos
Unas manos que buscan
                    Certidumbres
                          A tientas
Aunque ya no le sirva de nada
Gritar o quedar mudo
Y la ola más débil
Lo pueda destruir y hundir en su elemento
Yo sé que él está vivo
A todo lo ancho y largo de su cuerpo.[53]

---

[52] *Idem.*
[53] Ángel Esteban y Álvaro Salvador, *op. cit.,* p. 212.

Padilla rompía, entonces, con una larga tradición poética cubana que había hecho del mar una metáfora de la muerte. En un poeta de acento mediterráneo, como Eugenio Florit, al igual que en Dulce María Loynaz, esa metaforización nunca tuvo lugar. La poesía exiliada de Florit produjo, más bien, una reafirmación de imágenes marinas, en la que todos los mares del poeta, el Mediterráneo de Port Bou, el cuasi Caribe de La Habana, el Atlántico de Nueva York, reaparecían como estaciones de un mismo itinerario oceánico. Cada mar es distinto en la memoria del poeta, pero, al final, todos hacen respirar las tierras más disímiles. En el poema "El mar siempre", incluido en la segunda versión del cuaderno *Hasta luego* (1992), el arrullo marino, tan parecido en cualquier costa, esconde la realidad de un mar distinto que, a su vez, da vida al pedazo de tierra donde sueña el poeta:

Ese arrullo que escuchas
no es el del mar de entonces;
aquél calló con las ausencias,
o bien se hundió lejano
y se perdió en la espuma de otros mares.

No son los mismos, nunca.
Cada uno se acerca a sus orillas,
diversos todos, todos únicos
en el rozar del agua con su tierra;
y cada tierra con su mar se duerme
o al levantar el sol con él se alza.
Pero distintas, diferentes,
las tierras lejos, las de cerca,
tienen su propio mar que las arrulla
y con diverso pálpito respiran.

Como es otra la música
que en su bajar nos llega
del infinito mar de las constelaciones.

Y así vamos de mares y de orillas
al límite final que nos espera.[54]

La idea heracliteana del poema, tradicionalmente relacionada con el río, es diferida por Florit de una cultura "potámica"
a otra "oceánica". En un poema escrito en La Habana, a fines
de la década de 1960, por Antón Arrufat, y luego incluido en el
cuaderno *La huella en la arena* (1986) —a pesar del título, no
hay un solo poema marino en el mismo— pueden leerse los
desencuentros entre las literaturas de la isla y el exilio. El espléndido poema de Arrufat es una meditación abordo de una
guagua, en La Habana de 1969, donde se canta a la ciudad con
elocuencia equivalente al pez de Baquero. Pero esa Habana es
una urbe de asfalto y cemento: "mas tú, Habana, eres segura,
edificada/como la eternidad para que nos reciba,/nos miras
pasar, y creces con nuestro adiós".[55] La "huella del cangrejo en
la arena", que el "mar sonando en una de sus formas,/se traga-
ba con su lengua variable", era apenas un recuerdo en medio de
una divagación telúrica y citadina.[56]

Buena parte de la literatura de la generación de Mariel po-
see acento marino. El nombre de aquel puerto aseguraba una
resonancia acuática, fácilmente legible en las novelas *El color
del verano* y *Otra vez el mar* o en la autobiografía *Antes que anochezca* de Reinaldo Arenas, en los poemas playeros de Reinaldo
García Ramos, en varios cuentos de Carlos Victoria o en las
memorias de Juan Abreu, tituladas, precisamente, *A la sombra
del mar*. Toda una estética marielina, en la que la playa recupera
el estatus simbólico de utopía al aire libre, donde habita una
comunidad refractaria a toda forma de poder, podría leerse en
el hermoso texto "El mar es nuestra selva y nuestra esperanza",
que Reinaldo Arenas escribió a pocos días de su arribo a Miami, en el verano de 1980. Luego de defender una noción de

[54] Eugenio Florit, "El mar siempre", en *Obras completas,* vol. VI, Society
of Spanish and Spanish-American Studies, Boulder, Colorado, 2000, p. 62.
[55] Antón Arrufat, *La huella en la arena,* Unión, La Habana, 2001, p. 228.
[56] *Ibid.,* p. 231.

"lo cubano" ligada a la "intemperie", lo "tenue", lo "leve", lo "ingrávido", lo "desamparado", lo "desgarrado", lo "desolado" y lo "cambiante", Arenas formulaba la crítica definitiva de toda teluricidad cubana:

> Si de alguna teluricidad podemos hablar es de una teluricidad marina y aérea. Nuestra selva es el mar. Tan es así que, en los últimos años, a centenares y centenares de cubanos, en perenne éxodo, el mar se los ha tragado, como la selva sudamericana se tragó a los personajes de José Eustasio Rivera en *La vorágine*. El mar es nuestra selva y nuestra esperanza. El mar es lo que nos hechiza, exalta y conmina. Para nosotros, su rumor es el canto de la oropéndola en el bosque de Andreievsky. La selva, como el mar, es la multiplicidad de posibilidades, el misterio, el reto. El temor a perdernos y la esperanza de llegar. La selva es la frontera que hay que atravesar para llegar a la otra claridad. En una isla, donde no hay selva, la selva es el mar.[57]

Con la alusión a Rivera y sus críticas a Carpentier y García Márquez —"lo cubano dista mucho de ser una abigarrada descripción monumental y barroca"—, Arenas intentaba colocar su narrativa a la mayor distancia posible de la tradición de la novela de la tierra latinoamericana. Lo marino implicaba, para Arenas y buena parte de los escritores de Mariel, una poética y una política: un afirmarse en la superficie extraterritorial del exilio para desde allí demandar su pertenencia a la cultura cubana. El mar, para esos escritores, era lo que el sol para los desterrados republicanos que estudiara Claudio Guillén en su gran ensayo sobre el exilio español: un horizonte que dotaba de sentido la expatriación, la pérdida de la tierra, ofreciendo al exiliado una plataforma movediza y cambiante.[58]

Pero la estética marina no es privativa de la generación de

[57] Reinaldo Arenas, *Necesidad de libertad*, Kosmos Editorial, México, 1986, p. 32.

[58] Claudio Guillén, *El sol de los desterrados: literatura y exilio*, Sirmio, Barcelona, 1995.

Mariel sino que aparece, bajo los más diversos estilos y filosofías, en casi todas las generaciones del exilio cubano: desde poemas de José Kozer, Octavio Armand, Félix Cruz Álvarez, Jesús Barquet, Juana Rosa Pita y Rita Geada hasta cuentos y novelas de Severo Sarduy, Antonio Benítez Rojo, Julieta Campos, Nivaria Tejera, Eliseo Alberto y Abilio Estévez. Como simple indicio de una referencialidad mayor, baste recordar las gaviotas y los pelícanos, las olas y clepsidras, los delfines y las sirenas, los caracoles y cangrejos, las olas y arenas, que abundan en la poesía de Orlando González Esteva. Entre *Mañas de la poesía* (1981) y *Casa de todos* (2005), la poesía de González Esteva se aproxima cada vez más al mar, volviéndose acuaria.

El poeta, que ha visto conejos en la olas y colmillos blancos en los reflejos de la luna, que vivió entre delfines y que en *Amigo enigma* (2000), su gran homenaje al pintor mexicano Juan Soriano, rememoró los dibujos del hombre primitivo sobre la arena, descubre, en la plenitud de su obra, la invención del mar. Lector de Gaston Bachelard, el poeta viaja con sus cuadernos a través de los elementos naturales: si en *Mañas de la poesía,* los poemas estaban ambientados en el campo o el habla popular de la isla, y en *El pájaro tras la flecha* (1988) se internaban en una dimensión metafísica o aérea, ya en *Fosa común* (1996) y *Cuerpos en bandeja* (1998), la escritura de González Esteva opera a ras de tierra, en la comunidad de las hormigas o en los motivos del frutaje cubano.[59]

A partir de *Escrito para borrar* (1997), González Esteva hace del mar un escenario y, a la vez, un personaje de su poesía. En este cuaderno, además de sirenas y clepsidras, se ve un ave elevarse sobre los acantilados y un hombre que de tanto mirar el mar se vuelve azul, se confunde con el océano y aprende a respirar en su interior. Ese hombre, que se "bebe" el mar, o aquel otro, "que ya no lo ve porque se lo lleva dentro", es el anfibio o el delfín, que González Esteva ha convertido en sím-

[59] Orlando González Esteva, *¿Qué edad cumple la luz esta mañana?,* FCE, México, 2008, pp. 123-158.

bolo del contacto entre la tierra y el océano.[60] Sólo el anfibio, parece decirnos González Esteva, puede comprender el enigma de la resaca: la inversión del tiempo. Y sólo el anfibio puede llegar a la invención del mar.

Uno de los haikus de *Casa de todos* (2005), dice: "invento el mar:/un vaivén, mucha agua/y algo de sal".[61] Otro, constata la inestabilidad y la infinitud oceánicas, sin la angustia de quien busca un punto fijo sobre la tierra: "no acierta el mar/a quedarse tranquilo:/ve más allá".[62] Lo marino ha dejado de ser, en esta literatura exiliada, una entidad inefable o una presencia inquietante y consoladora, una mera superficie navegable o una alegoría del mal, una metáfora del límite o una circunstancia maldita. Como el Mediterráneo que reencontró Walter Benjamin en Ibiza o como el Adriático de la novela de Claudio Magris, el mar de los exiliados constituye *otro mar:* un océano imaginario, portátil, sin nombre, donde han sido borradas las fronteras y donde el sujeto es demiurgo de su propia soberanía.

A principios del siglo XXI, la historiografía literaria cubana aún opera con visiones construidas a mediados del siglo XX, en La Habana de fines de la República o inicios de la Revolución. El marco temporal y espacial de esa historiografía sigue respondiendo a un nacionalismo telúrico y sanguíneo, incapaz de asimilar el cambio antropológico de las literaturas cubanas en el último medio siglo. La representación del mar en la literatura del exilio es un componente de ese cambio, ya que los desterrados han producido visiones marinas que la tradición insular presentaba como promesas o indicios. Fuera de la isla, la búsqueda de una dimensión oceánica o atlántica de la literatura cubana, reclamada por el joven Lezama en su diálogo con Juan Ramón Jiménez, ha avanzado lo suficiente como para iniciar la reescritura de esa historia.

---

[60] *Ibid.,* p. 166.
[61] Orlando González Esteva, *Casa de todos,* Pre-Textos, Valencia, 2005, p. 13.
[62] *Ibid.,* p. 24.

Bibliografía

Aguilera, Carlos A., "La devastación. Conversación con Lorenzo García Vega", *Banda Hispana. Portal de Poesía* (www.revista.agulha.nom.br).

Alberto, Eliseo, *Esther en alguna parte,* Espasa Calpe, Madrid, 2005.

Alonso, Carlos J., *Modernity and Autochtony. The Spanish American Regional Novel,* Cambridge University Press, Cambridge, 1990.

Álvarez Borland, Isabel, *Cuban-American Literature of Exile. From Person to Persona,* University of Virginia Press, Charlottesville, 1998.

Anderson, Thomas F., *Everything in Its Place. The Life and Works of Virgilio Piñera,* Bucknell University Press, Lewisburg, 2006.

Arcos, Jorge Luis (ed.), *Los poetas de Orígenes,* FCE, México, 2002 (Tierra Firme).

———, *Kaleidoscopio. La poética de Lorenzo García Vega,* Colibrí, Madrid, 2012.

Arenas, Reinaldo, *Necesidad de libertad,* Kosmos Editorial, México, 1986.

———, *Antes que anochezca,* Tusquets, Barcelona, 1992.

Arrufat, Antón, "Una antología lamentable", *Lunes de Revolución,* núm. 59 (16 de mayo de 1960), p. 10.

———, "Saldo de una editorial", *Lunes de Revolución,* núm. 65 (20 de junio de 1960), pp. 20-22.

———, *Virgilio Piñera: entre él y yo,* Unión, La Habana, 1994.

———, "Oyendo conversar a Lezama", *Clarín. Revista de Nueva Literatura,* año 11, núm. 66 (2006), pp. 35-38.

Arrufat, Antón, *La caja está cerrada,* Letras Cubanas, La Habana, 2002.

————, *La noche del Aguafiestas,* Letras Cubanas, La Habana, 2000.

————, *De las pequeñas cosas,* Pre-Textos, Madrid, 1997.

————, *El viejo carpintero,* Unión, La Habana, 1999.

————, *La huella en la arena,* Unión, La Habana, 2001.

————, *El hombre discursivo,* Letras Cubanas, La Habana, 2005.

————, *Las máscaras de Talía,* Ediciones Matanzas, Matanzas, 2008.

————, "Oyendo conversar a Lezama", *Clarín. Revista de Nueva Literatura,* año 11, núm. 66 (2006), pp. 35-38.

————, "Un olvidado de la República: Armando Leyva", *Libros del Crepúsculo* (www.librosdelcrepusculo.com), 13 de enero de 2011.

Ayala, Matías, "Nicanor Parra y su itinerario político: de los sesenta a los ochenta", *Persona y sociedad,* vol. XX, núm. 2 (Universidad Alberto Hurtado, 2006) pp. 161-176.

Barquet, Jesús, *Ediciones El Puente en La Habana de los años sesenta: lecturas críticas y libros de poesía,* México, Ediciones del Azar, Chihuahua, 2010.

Barquet, Jesús J., y Norberto Codina (selec. y notas), *Poesía cubana del siglo XX. Antología,* FCE, México, 2002.

Barthes, Roland, *Diario de mi viaje a China,* Paidós, Madrid, 2010.

————, *Roland Barthes por Roland Barthes,* Paidós, Barcelona, 2004.

————, *El placer del texto/Lección inaugural,* Siglo XXI Editores, México, 1974.

————, *Fragmentos de un discurso amoroso,* Siglo XXI Editores, México, 1982.

————, *La preparación de la novela,* Siglo XXI Editores, México, 2005.

————, *El susurro del lenguaje. Más allá de la palabra y la escritura,* Paidós, Barcelona, 1987.

Bataille, Georges, *Las lágrimas de Eros,* Tusquets, Barcelona, 1997.

————, *El erotismo,* Tusquets, Barcelona, 1997.

Batista Falla, Víctor, "¿A dónde va nuestra narrativa?", *Exilio* (otoño de 1972), p. 23.

Baynac, Jacques, *Mayo reencontrado*, Madrid, Acuarela Libros/ A. Machado Libros, 2008.

Benjamin, Walter, *La dialéctica en suspenso. Fragmentos sobre la historia*, Arcis, Santiago de Chile, 1995.

Binns, Niall, *Un vals en un montón de escombros. Poesía hispano-americana entre la modernidad y la posmodernidad*, Peter Lang Verlag, Berna, 1999.

Bloom, Harold, *La escuela de Wallace Stevens. Un perfil de la poesía estadounidense contemporánea*, Vaso Roto, Madrid, 2011.

Bourdieu, Pierre, *Las reglas del arte. Génesis y estructura del campo literario*, Anagrama, Barcelona, 1995.

Bradu, Fabienne, "Una escritora singular", prólogo a Julieta Campos, *Obras reunidas. Razones y pasiones. Ensayos escogidos 1*, FCE, México, 2005, pp. 11-23.

Bürger, Peter, *Teoría de la vanguardia*, Península, Barcelona, 1997.

Cabrera Infante, Guillermo, *Cuerpos divinos*, Círculo de Lectores, Barcelona, 2010.

————, *Mea Cuba*, Vuelta, México, 1993.

Cairo Ballester, Ana, *Viaje a los frutos*, Ediciones Bachiller de la Biblioteca Nacional José Martí, La Habana, 2007.

Calabrese, Omar, *Neobaroque. A Sign of the Times*, Princeton University Press, Nueva Jersey, 1992.

Calvino, Italo, "Las piedras de La Habana", *Quimera*, núm. 26 (1982), pp. 54-55.

Campos, Julieta, *Reunión de familia*, FCE, México, 1997 (Letras Mexicanas).

————, *Obras reunidas. Razones y pasiones. Ensayos escogidos I y II*, FCE, México, 2005.

————, "Lezama o el heroísmo de lo secreto", *Vuelta*, núm. 52, 1981, pp. 65-68.

————, *La forza del destino*, Alfaguara, México, 2003.

————, "Situación de la literatura mexicana", *Lunes de Revolución*, núm. 63 (junio de 1960), pp. 13-14.

Casal, Julián del, *Selección de poesías*, Cultural, La Habana, 1931.

Casey, Calvert, *Notas de un simulador,* Montesinos, Barcelona, 1997.

————, *Cuentos (casi) completos,* Conaculta, México, 2009.

Certeau, Michel de, *La toma de la palabra,* Universidad Iberoamericana, México, 1995.

Chiampi, Irlemar, *Barroco y modernidad,* FCE, México, 2000 (Lengua y Estudios Literarios).

Condesa de Merlin, *Viaje a La Habana,* Editorial de Arte y Literatura, La Habana, 1974.

Cruz Malavé, Arnaldo, *El primitivo implorante. El sistema poético del mundo de José Lezama Lima,* Ediciones Rodopi, Atlanta, Georgia, 1994.

Cuba Soria, Pablo de, "José Kozer, la poesía por el todo", *Crítica,* núm. 141 (enero-febrero, 2011, Puebla), pp. 109-121.

Dávila, Arturo, "El neobarroco sin lágrimas: Góngora, Mallarmé, Alfonso Reyes", *Hipertexto,* núm. 9 (invierno de 2009), pp. 3-35.

Deleuze, Gilles, *El pliegue. Leibniz y el barroco,* Paidós, Barcelona, 1989.

Derrida, Jacques, *Dar el tiempo,* Paidós, Barcelona, 1995.

Díaz Infante, Duanel, *Los límites del origenismo,* Colibrí, Madrid, 2005.

Díaz Quiñones, Arcadio, *Cintio Vitier: la memoria integradora,* Ediciones Huracán, San Juan, Puerto Rico, 1987.

————, *Sobre los principios. Los intelectuales caribeños y la tradición,* Buenos Aires, Universidad Nacional de Quilmes, 2006.

————, *Palabras del trasfondo,* Colibrí, Madrid, 2009.

Domínguez Michael, Christopher, *Antología de la narrativa mexicana del siglo XX,* t. II, FCE, México, 1997, (Letras Mexicanas).

Duchesne Winter, Juan, *Del príncipe moderno al señor barroco: la república de la amistad en* Paradiso, *de José Lezama Lima,* Archivos del Índice, Cali, Colombia, 2008.

Echeverría, Bolívar, *La modernidad de lo barroco,* Era, México, 1998.

Espinosa Domínguez, Carlos, *Índice de la revista* Exilio *(1965-1973),* Término Editorial, Cincinatti, Ohio, 2003.

Espinosa Domínguez, Carlos, "Introducción al Homenaje a Virgilio Piñera", *Encuentro de la Cultura Cubana,* núm. 14 (otoño de 1999), pp. 11-13.

————, *Virgilio Piñera en persona,* Término Editorial, Miami, 2003.

Esteban, Ángel, y Álvaro Salvador, *Antología de la poesía cubana,* t. IV, Verbum, Madrid, 2002.

Estévez, Abilio, *Inventario secreto de La Habana,* Tusquets, Barcelona, 2004.

Fandiño, Roberto, "Pasión y muerte de Calvert Casey", *Revista Hispano Cubana,* núm. 5 (1999), pp. 33-44.

Fernández Fe, Gerardo, "José, el impuro", *La Habana Elegante,* núm. 40 (invierno de 2007) (www.habanaelegante.com).

Figueroa Sánchez, Cristo Rafael, *Barroco y neobarroco en la narrativa hispanoamericana. Cartografías literarias de la segunda mitad del siglo xx,* Pontificia Universidad Javeriana/Editorial Universitaria de Antioquia, Antioquia, 2008.

Florit, Eugenio, *Obras completas,* vol. VI, Society of Spanish and Spanish -American Studies, Boulder, Colorado, 2000.

Foucault, Michel, *Tecnologías del yo,* Paidós, Barcelona, 1990.

Fowler Calzada, Víctor, *La maldición. Una historia del placer como conquista,* Letras Cubanas, La Habana, 1998.

————, "Otra lectura de Piñera: a propósito de un libro de Enrique Saínz", *Unión,* La Habana, abril-junio de 2002.

Franco, Jean, *Decadencia y caída de la ciudad letrada. La literatura latinoamericana durante la Guerra Fría,* Debate, Barcelona, 2003.

Fuentes, Carlos, *Los 68. París-Praga-México,* Debate, Barcelona, 2005.

García Vega, Lorenzo, *Rostros del reverso,* Monte Ávila Editores, Caracas, 1977.

————, *Los años de Orígenes,* Bajo la Luna, Buenos Aires, 2007.

————, *Poemas para la penúltima vez. 1948-1989,* Saeta Ediciones, Miami, 1991.

García Vega, Lorenzo, *Espirales del cuje,* La Habana, Orígenes, 1952.

García Vega, Lorenzo, *El oficio de perder,* Ediciones Espuela de Plata, Sevilla, 2005.

————, *Antología de la novela cubana,* Dirección General de Cultura/Ministerio de Educación, La Habana, 1960.

————, *Ritmos acribillados,* Expublico, Nueva York, 1972.

————, "Tres poemas", *Exilio. Revista de Humanidades,* año 3, núm. 2 (verano de 1969), pp. 12-15.

Garrandés, Alberto, *Heresiarcas y pontífices. La narrativa cubana de los años sesenta,* Cuba Literaria, La Habana, 2004.

Glucksmann, André, y Raphaël, *Mayo del 68. Por la subversión permanente,* Taurus, Madrid, 2008.

González Cruz, Iván (ed.), *Diccionario. Vida y obra de José Lezama Lima,* Generalitat Valenciana, Valencia, 2000.

González Echevarría, Roberto, *La ruta de Severo Sarduy,* Ediciones del Norte, Hanover, New Hampshire, 1987.

————, *Oye mi son. Ensayos y testimonios sobre la literatura hispanoamericana,* Renacimiento, Sevilla, 2008.

González Esteva, Orlando, *¿Qué edad cumple la luz esta mañana?,* FCE, México, 2008 (Tierra Firme).

————, *Casa de todos,* Valencia, Pre-Textos, 2005.

Guerrero, Gustavo, *La estrategia neobarroca. Estudio sobre el surgimiento de la poética barroca en la narrativa de Severo Sarduy,* Ediciones del Mall, Barcelona, 1987.

————, "Una posteridad en disputa", *Diario de Cuba* (27 de diciembre de 2010). www.diariodecuba.com.

Guillén, Claudio, *El sol de los desterrados: literatura y exilio,* Sirmio, Barcelona, 1995.

Guillén, Nicolás, *Obra poética 1920/1972,* 2 t., Universidad de Guadalajara, Guadalajara, 1978.

Guiteras Holmes, Calixta, *Los peligros del alma. Visión del mundo de un tzotzil,* FCE, México, 1965 (Historia y Antropología).

Heredia, José María, *Poesías completas,* 2 t., Municipio de La Habana, La Habana, 1941.

Hernández Busto, Ernesto, *Inventario de saldos,* Colibrí, Madrid, 2005.

Hernández Busto, Ernesto, "Una isla de memoria", en Carlos Espinosa Domínguez (ed.), *Todos los libros, el libro,* Los Libros de las Cuatro Estaciones, Farmville, Virginia, 2004, pp. 93-97.

Herzl, Theodor, *El Estado judío,* Prometeo Libros, Buenos Aires, 2005.

Jünger, Ernst, *Sobre el dolor,* Tusquets, Barcelona, 1995.

Kozer, José, "Cuatro poetas hispanoamericanos en Estados Unidos", *Exilio* (verano de 1971), pp. 141-155.

————, *Bajo este cien,* FCE, México, 1983.

————, *La garza sin sombras,* Bajo la Luna, Buenos Aires, 2006.

————, *Ánima,* FCE, México, 2002 (Tierra Firme).

————, *En Feldafing las cornejas,* Aldus / Universidad del Claustro de Sor Juana, México, 2007.

————, *Acta,* Aldus, México, 2010.

————, *Mezcla para dos tiempos,* Aldus, México, 1999.

————, *22 poemas,* Taller Ditoria, México.

————, *AAA1144,* Verdehalago, México, 1997.

Kozer, José, Roberto Echavarren y Jacobo Sefamí, *Medusario. Muestra de poesía latinoamericana,* FCE, México, 1996 (Tierra Firme).

Lacouture, Jean, *Montaigne a caballo,* FCE, México, 1999 (Breviarios, 532).

Lévinas, Emmanuel, *Humanismo del otro hombre,* Caparrós Editores, Madrid, 1993.

————, *Fuera del sujeto,* Caparrós Editores, Madrid, 1997.

————, *De la evasión,* Arena Libros, Madrid, 1999.

Leyva González, David, *Virgilio Piñera o la libertad de lo grotesco,* Letras Cubanas, La Habana, 2010.

———— (ed.), *Órbita de Virgilio Piñera,* Unión, La Habana, 2011.

Lezama Lima, José, *Cartas a Eloísa y otra correspondencia,* Verbum, Madrid, 1998.

————, *Antología de la poesía cubana,* 3 t., Verbum, Madrid, 2002.

————, *Obras completas,* t. I y II, Aguilar, México, 1977.

Lezama Lima, José, *Fascinación de la memoria,* Letras Cubanas, La Habana, 1993.

Lezama Lima, José, *Poesía completa,* Letras Cubanas, La Habana, 1991.

Luis, Carlos M., "Nota sobre el bicentenario de Fourier", *Exilio* (otoño de 1972), pp. 151-153.

Luis, Carlos M., "'The Making of a Counter Culture', by Theodore Roszak (Doubleday and Co., 1969)", *Exilio. Revista de Humanidades* (invierno-primavera de 1971).

Luis, William, *Lunes de Revolución. Literatura y cultura en los primeros años de la Revolución cubana,* Verbum, Madrid, 2003.

Macé, Marie-Anne, *Severo Sarduy,* París, Éditions L'Harmattan, 1992.

Maeseneer, Rita de, "Arrufat y los avatares del canon en la Cuba revolucionaria", *Voces del Caribe. Revista de Estudios Caribeños,* vol. 3, núm. 1 (primavera de 2011), pp. 123-142.

Magris, Claudio, *Utopía y desencanto,* Anagrama, Barcelona, 2001.

Malcuzynski, Pierrentte "El campo conceptual del neobarroco. Recorrido histórico y etimológico", *Criterios* (La Habana, julio-diciembre de 1994), pp. 131-170.

Mario, José, "André Breton: surrealismo, crítica y tradición", *Exilio* (otoño de 1972).

Martí, José, *Poesía completa,* UNAM, México, 1998.

Medina Ríos, Jamila, *Diseminaciones de Calvert Casey,* Unión, La Habana, 2012.

Méndez Rodenas, Adriana, *Severo Sarduy: el neobarroco de la transgresión,* UNAM, México, 1993.

Mirabal, Elizabeth, y Carlos Velazco, *Sobre los pasos del cronista: el quehacer intelectual de Guillermo Cabrera Infante en Cuba hasta 1965,* Unión, La Habana, 2011.

Molinero, Rita, *Virgilio Piñera. La memoria del cuerpo,* Plaza Mayor, San Juan, Puerto Rico, 2002.

Morán, Francisco (ed.), *Poesía y prosa de Bonifacio Byrne,* Stockcero, Doral, Florida, 2011.

Moreno Fraginals, Manuel, *Cuba / España. España / Cuba. Historia común,* Crítica, Barcelona, 1995.

Morejón Arnaiz, Idalia, *Política y polémica en América Latina. Las revistas Casa de las Américas y Mundo Nuevo,* Educación y Cultura, México, 2010.

Mudrovcic, María Eugenia, *Mundo Nuevo. Cultura y Guerra Fría en la década del sesenta,* Beatriz Viterbo Editora, Buenos Aires, 1997.

Nadeau, Maurice, "Paris Scarabée", *Encuentro,* núm. 39 (invierno de 2005-2006).

Nuez, Iván de la, *Fantasía roja. Los intelectuales de izquierda y la Revolución cubana,* Debate, Barcelona, 2006.

Parra, Nicanor, *Obra gruesa. Texto completo,* Andrés Bello, Santiago de Chile, 1983.

——, *Emergency Poems,* New Directions, Nueva York, 1972.

Paz, Octavio, *Obras completas. La casa de la presencia,* 1, FCE/ Círculo de Lectores, México, 1994.

Pérez, Jorge Ángel, *Fumando espero,* Letras Cubanas, La Habana, 2003.

Pérez, Rolando, *Severo Sarduy and the Religion of the Text,* University Press of America, Lanham, 1988.

Pérez Firmat, Gustavo, *Vidas en vilo. La cultura cubanoamericana,* Colibrí, Madrid, 2000.

Piñera, Virgilio, *Virgilio Piñera, de vuelta y vuelta. Correspondencia,* Unión, La Habana, 2011.

Ponte, Antonio José, *El libro perdido de los origenistas,* Aldus, México, 2002.

——, "Reclamaciones equivocadas a Virgilio Piñera", *Extramuros,* núm. 8 (La Habana, enero-abril de 2002), pp. 1-3.

Proust, Marcel, *Contra Sainte-Beuve. Recuerdos de una mañana,* Tusquets, Barcelona, 2005.

Ricoeur, Paul, *Tiempo y narración,* t. I y II, Siglo XXI Editores, México, 1995.

Ríos, Julián, *Severo Sarduy,* Fundamentos, Madrid, 1976.

Rojas, Rafael, *Tumbas sin sosiego. Revolución, disidencia y exilio del intelectual cubano,* Anagrama, Barcelona, 2006.

——, *El estante vacío,* Anagrama, Barcelona, 2009.

Rojas, Rafael, *Motivos de Anteo. Patria y nación en la historia intelectual de Cuba*, Colibrí, Madrid, 2008.

Romero, Cira (ed.), *Severo Sarduy en Cuba. 1953-1961*, Oriente, Santiago de Cuba, 2007.

Ross, Kristin, *Mayo del 68 y sus vidas posteriores. Ensayo contra la despolitización de la memoria*, Acuarela Libros /A. Machado Libros, Madrid, 2008.

Ruiz Galvete, Marta, "Cuadernos del Congreso por la Libertad de la Cultura: anticomunismo y guerra fría en América Latina", *El Argonauta Español*, núm. 3 (2006), pp. 1-4.

Saínz, Enrique, *La poesía de Virgilio Piñera. Ensayo de aproximación*, Letras Cubanas, La Habana, 2001.

Salgado, César A., "*Orígenes* ante el cincuentenario de la República", Anke Birkenmaier y Roberto González Echevarría, *Cuba: un siglo de literatura (1902-2002)*, Colibrí, Madrid, 2004.

Sánchez Robayna, Andrés, *La victoria de la representación: lectura de Severo Sarduy*, Ediciones Episteme, Valencia, 1996.

Santayana, George, *The Last Puritan. A Memoir in the Form of a Novel*, The MIT Press, Cambridge, 1995.

Santí, Enrico Mario, *Bienes del siglo. Sobre cultura cubana*, FCE, México, 2002 (Tierra Firme).

——, *Luz espejeante. Octavio Paz ante la crítica*, Era, México, 2009.

Sarduy, Severo, *Obra completa*, 2 t., FCE / ALLCA XX / Unesco, Madrid, 1999.

Schmitt, Carl, *Tierra y mar. Una reflexión sobre la historia universal*, Trotta, Madrid, 2007.

——, *El nomos de la tierra en el Derecho de Gentes del* ius publicum europaeum, Comares, Granada, 2002.

Sefamí, Jacobo, "Llenar la máscara con las ropas del lenguaje: José Kozer", en Jacobo Sefamí (ed.), *La voracidad grafómana: José Kozer. Crítica, entrevistas y documentos*, UNAM, México, 2002, pp. 189-229.

Sierra, Ernesto, "*Mundo Nuevo* y las máscaras de la cultura", *Hipertexto*, núm. 3 (2006), pp. 3-13.

Sorel, Andrés, "Virgilio Piñera. ¿Una broma colosal?", *República de las Letras,* núm. 114 (octubre de 2009).

Steiner, George, *Los logócratas,* FCE/Siruela, México 2007.

————, *Extraterritorial,* Siruela, Madrid, 2002.

Stevens, Wallace, *De la simple existencia,* Galaxia Gutenberg/Círculo de Lectores, Barcelona, 2003.

————, *Ideas de orden,* Lumen, Barcelona, 2011.

Tejera, Nivaria, "El Barranco", *Orígenes,* año XI, núm. 35 (La Habana, 1954), p. 51.

————, *Espero la noche para soñarte, Revolución,* Ediciones Universal, Miami, 2002.

————, *Fuir la spirale,* Actes Sud, París, 1987.

Tejera, Nivaria, *Huir de la espiral,* Verbum, Madrid, 2010, p. 53.

Thomas, Hugh, *Historia contemporánea de Cuba,* Grijalbo, Barcelona, 1973.

Torriente Brau, Pablo de la, *El periodista Pablo,* Letras Cubanas, La Habana, 1989.

Twain, Mark, "El privilegio de la tumba", *SP. Revista de Libros,* núm. 16 (julio de 2009), p. 6.

Vargas Llosa, Mario, "La trompeta de Deyá", en Julio Cortázar, *Cuentos,* Alfaguara, Madrid, 1994, pp. 19-20.

Vásquez Rocca, Adolfo, "La crisis de las vanguardias artísticas y el debate modernidad-posmodernidad", *Ábaco,* núms. 44-45, pp. 141-155.

Vitier, Cintio, *Lo cubano en la poesía,* Instituto Cubano del Libro, La Habana, 1970.

————, *Diez poetas cubanos. 1937-1947,* Ediciones Orígenes, La Habana, 1948.

————, *Cincuenta años de poesía cubana (1902-1952),* Dirección de Cultura del Ministerio de Educación, La Habana, 1952.

Volpi, Jorge, *La imaginación al poder. Una historia intelectual de 1968,* Era, México, 1998.

Zambrano, María, *Séneca,* Siruela, Madrid, 1994.

————, *Islas,* Verbum, Madrid, 2006,

Índice onomástico

Giorno, John: 27
Girri, Alberto: 176
Glucksmann, André: 15
Goethe, Johann Wolfgang von: 134
Goldemberg Bay, Isaac: 28, 160
Gómez, José Miguel: 131
Gómez Báez, Máximo: 131
Gómez de Avellaneda, Gertrudis: 20, 101, 157, 179, 192
Gómez Wangüemert, Luis: 70
Góngora y Argote, Luis de: 61, 79, 176
González Echevarría, Roberto: 86
González Esteva, Orlando: 178, 202, 203
González Palacios, Carlos: 99
González Pedrero, Enrique: 115
González y González, Luis: 131
González Zamora, Reynaldo: 128
Goodman, Paul: 90, 91
Gramatges, Harold: 10
Gramsci, Antonio: 87n
Grau San Martín, Ramón: 131
Greco, el: 79
Guerra, Ramiro: 156, 178, 190
Guerrero, Gustavo: 25, 60, 61, 113, 172
Guevara Lynch, Ernesto (*Che* Guevara): 15, 34, 51, 69, 105
Guillén, Claudio: 201
Guillén, Nicolás: 96, 136, 196
Güiraldes, Ricardo: 100
Guiteras Holmes, Antonio: 116
Guiteras Holmes, Calixta: 116

Hegel, Georg Wilhelm Friedrich: 192
Heidegger, Martín: 153, 158

Hemingway, Ernest: 37, 45, 71, 152
Heredia, José María: 20, 111, 157, 178-181, 183, 192, 193
Heredia, Nicolás: 101
Herlz, Theodor: 164
Hesíodo: 126
Hidalgo y Costilla, Miguel: 152
Hijuelos, Oscar: 163
Hinostroza, Rodolfo: 171
Hitler, Adolfo: 162
Hollier, Denis: 77
Huerta, David: 171
Hugo, Victor: 94

Ibsen, Henrik: 37
Ionesco, Eugène: 36, 150
Iznaga, Alcides: 102

Jambrina, Jesús: 146, 147
James, Henry: 122, 150, 156
Jamís Bernal, Fayad: 10
Jiménez, Juan Ramón: 187-190, 192, 193, 203
Jiménez, Reynaldo: 171
Jiménez Soler, Guillermo: 69
Johns, Jasper: 27
Joyce, James: 32, 37, 40, 71, 119, 122
Juarroz, Roberto: 176
Jünger, Ernst: 43

Kafka, Franz: 32, 36, 45-47, 71, 99, 101, 109, 119, 150, 156, 163, 164
Kamenszain, Tamara: 171
Kant, Emmanuel: 16
Kapp, Ernst: 191
Kepler, Johannes: 29, 79, 80

Kerouac, Jack: 45, 49
Kesey, Ken: 45, 49
Klee, Paul: 66
Koestler, Arthur: 11
Kozer, José: 11-13, 15, 16, 20, 24, 25, 28, 40, 159-177, 202
Krishnamurti, Jiddu: 63, 68
Kristeva, Julia: 16, 75, 77
Kropotkin, Piotr: 13

Labrador Ruiz, Enrique: 10, 20, 102, 178
Lacan, Jacques: 15, 24, 77
Lacouture, Jean: 157
Laiglesia, Álvaro de: 123
Lam, Wifredo: 26, 123
Lauer, Mirko: 171
Lautréamont, Conde de (Isidore Lucien Ducasse): 27, 94
Lawrence, David Herbert: 20, 45-49
Lefort, Claude: 15
Leminski, Paulo: 171
Lenin, Vladimir Ilich: 16, 23
León Felipe: 148
Lévinas, Emmanuel: 45, 53, 59, 154
Leyva González, David: 147
Lezama Lima, José: 10, 12, 18, 20, 26, 30, 61, 65-67, 74, 76, 79, 81, 85-87, 87n, 89, 90, 93-100, 102-104, 107, 110-114, 117-120, 123, 126, 132, 136-138, 142-144, 147, 155, 157, 165, 168, 169, 171-173, 176, 178, 180, 184, 187-193, 195, 196, 203
Lichtenstein, Roy: 27
Llerena, Edith: 196

Llinás Quintáns, Guido: 10
López, César: 141
López Lemus, Virgilio: 145-146
Loveira y Chirino, Carlos: 102
Lowry, Malcolm: 37
Loynaz, Dulce María: 186, 199
Luaces, Joaquín Lorenzo: 180
Luis, Carlos M.: 26, 27, 90, 160
Luz y Caballero, José de la: 131, 145

Macé, Marie-Anne: 76
Maceo, Antonio: 131
Machado, Antonio: 156
Machado y Morales, Gerardo: 16, 114, 128, 131
Magris, Claudio: 132, 156, 203
Magritte, René: 36
Maistre, Joseph de: 158
Malaparte, Curzio: 159
Malcuzynski, Pierrette: 173
Mallarmé, Stéphane: 38, 82
Mallea, Eduardo: 105
Mann, Thomas: 40, 122
Mañach, Jorge: 12, 12n, 92, 96
Mao Tse-Tung: 16, 34, 75
Marcuse, Herbert: 15, 26, 105
Marinello Vidaurreta, Juan: 10, 96
Mario, José: véase Rodríguez Pérez, José Mario
Maritain, Jacques: 113
Marmori, Giancarlo: 77
Marrero, Leví: 92
Martí, José: 12, 18, 20, 56, 57, 64, 65, 101, 102, 128, 131, 132, 143-145, 156, 157, 159, 183, 184, 188, 192, 193
Martínez Pedro, Luis: 10

Índice general

La vanguardia peregrina. El escritor cubano, la tradición y el exilio,
de Rafael Rojas, se terminó de imprimir y encuadernar en agosto
de 2013 en Impresora y Encuadernadora Progreso, S. A. de C. V.
(IEPSA), calzada San Lorenzo, 244; 09830 México, D. F.
La edición, al cuidado de *Nancy Rebeca Márquez
Arzate,* consta de 2 000 ejemplares.